GABRIEL FIGUEROA
MEMORIAS

PÉRTIGA

GABRIEL FIGUEROA
MEMORIAS

UNIVERSIDAD NACIONAL AUTÓNOMA DE MÉXICO
DGE | EQUILIBRISTA
MÉXICO, MMV

Primera edición, 2005

Aureliano Rivera núm. 6 Col. Tizapán San Ángel,
01090, México, D.F.
www.dgeequilibrista.com

Ciudad Universitaria 04510, México D.F.
Coordinación de Difusión Cultural
Dirección General de Publicaciones
y Fomento Editorial
Fotografía de portada: Gabriel Figueroa Mateos por
Gabriel Figueroa Flores, 1994

Edición: Jaime Soler Frost
Diseño: Daniela Rocha
Edición y producción: DGE | Equilibrista
Coordinación: Ricardo Sánchez
Corrección: Valentina Gatti

ISBN: 968-5011-53-2 (DGE | Equilibrista)
ISBN: 970-32-3060-1 (UNAM)

CONTENIDO

México, D.F. a 26 octubre de 2005

Nota al editor:

Aquí te envío el manuscrito de las memorias de mi padre, leído y corregido.

Te confieso el extrañamiento que me produce leer sus palabras habiéndolo oído durante tantos años contar las mismas anécdotas que ahora releo. Me hace ser hoy un espectador de su historia y de la mía propia: "tú que eres lo mismo que yo después de mí", decía el patriarca maya a su hijo.

Al leer sus palabras las leo y las oigo al mismo tiempo, oigo su inflexión de voz, veo en el ojo de mi memoria sus gesticulaciones; es así como la memoria se preserva. Esto no hubiera sido posible sin la aguda percepción de mi primo Juan Antonio Mateos, sobrino querido y preferido de mi padre que, con no pocos coñacs, gozo y admiración, se dedicó a grabarlo pacientemente durante varios años. Estas grabaciones encuentran finalmente un medio más compartible.

La larga e intensa vida de Gabriel Figueroa se ve reflejada en estas páginas con su sentido del humor característico y su exquisita memoria para recordar las anécdotas y entregarlas como pequeños guiones de cine que "fotografían" toda una época de un México apasionado y creativo.

Parte de la historia del siglo XX en México con personajes y situaciones quedan "vistas" desde un ángulo fresco, honesto y comprometido, verdaderas composiciones, como él decía: "el *Indio* (Fernández) me pide un encuadre y yo le hago una composición".

Celebremos el estreno de estas memorias que proyectan la personalidad de un hombre excepcional cuyo talento fue exhibido siempre en los mejores cines.

GABRIEL FIGUEROA FLORES

A MODO DE PRÓLOGO. DECLARACIÓN DE OFICIO

Durante cuarenta años, en compañía de otros hombres igualmente apasionados en el oficio de inventar imágenes, no he hecho otra cosa que delimitar la realidad entre las manos de una cámara fotográfica. Este privilegio excepcional me ha enseñado a conducir los sentidos hasta el corazón de la realidad y constituirme en la mirada de importantes inquisidores del alma humana.

Puedo decir que jamás he sido ajeno a mi tiempo. Al transfigurar la realidad con un implemento mecánico, la realidad me transfiguraba a mí mismo y me hacía crecer como un hombre entre los otros hombres.

Contar historias, evocar historias, inventar historias: mi vida no ha sido más que un accidente en ese universo poblado ya con seres intemporales.

Recuerdo en estos momentos a hombres de la calidad de Diego Rivera, José Clemente Orozco, David Alfaro Siqueiros, Leopoldo Méndez, glorias de la plástica mexicana, amos del color y de la luz y maestros míos en el modo de ver a los hombres y las cosas. Estoy seguro de que, si algún mérito tengo, es saber servirme de mis ojos, que conducen a las cámaras en la tarea de aprisionar no sólo los colores, las luces y las sombras, sino el movimiento que es la vida.

GABRIEL FIGUEROA
Palabras pronunciadas al recibir el Premio Nacional de Ciencias y Artes, 1971

CAPÍTULO I.
INFANCIA Y JUVENTUD

En cierta ocasión, Federico García Lorca dijo que el artista debe tener carácter, estilo y duende. Creo que de los Mateos, de esa línea, saqué algo: la sensibilidad artística y mi temperamento… una herencia que es mi orgullo.

Mi abuelo, don Juan A. Mateos, abogado, periodista, juarista, escritor de obras de teatro y novelas, era un gran conversador y muy elegante. Lo recuerdo siempre con su gran porte, su levita cruzada y muy perfumado, un aristócrata clásico. Uno de sus hermanos, Manuel Mateos, fue uno de los "mártires de Tacubaya"; su cuñado era Ignacio Ramírez *El Nigromante*. Liberales y masones todos. Una de sus hijas fue Ana Mateos de Figueroa, mi madre. Mi padre era don Roberto Figueroa, industrial y millonario.

Mi abuelo materno nos venía a visitar una vez a la semana, pues tenía varias familias más que visitar. Un día, después de la comida, como a las cinco de la tarde, entró el mozo y dijo: "Don Juan, ya llegaron por usted". En ese mismo instante había comenzado el cuartelazo en la Ciudadela: la Decena Trágica. Como la calle de Zarco, donde vivíamos, quedaba en línea recta de la Ciudadela, la situación de la casa era un peligro. Su hijo, el tío Manuel, le rogó que no se fuera, pero el abuelo le respondió que tenía que irse porque una mujer, su amante, había venido por él. A la familia entera se le enchinó el cuero, pero no hubo otra opción que salir e invitar a pasar a la señora, que estaba dentro de un carruaje. Rápidamente bajaron todos los colchones al piso inferior de la casa y por diez días nadie pudo salir.

Al tío Manuel Mateos venían a buscarlo los zapatistas para llevarlo a dar discursos en las plazas públicas… pero se quedaban a comer en la casa. Mi hermano Roberto y yo éramos muy chicos y nos llamaba la atención que los zapatistas, sentados en el gran comedor, taparan el salero con el dedo. "Porque siempre se sale", decían. La tía Sara, esposa del tío Manuel, le rogó que se los llevara a comer a algún restaurante pues ya le resultaba pesado darles de comer tantas veces… Un día, un primo nuestro, hijo de Manuel, se fue con ellos a "la bola".

La otra parte de la familia era carrancista. En una ocasión le pregunté a don Isidro Fabela, tío político nuestro, que qué tenía detrás de las barbas y los anteojos el señor Carranza. Me contestó: "Era carismático. Un día estaba en el despacho de Carranza cuando llegó el general Obregón para hablar con él. Le dije que estaba ocupado, que esperara. 'Nada de esperas, nada. A mí me recibe ahorita mismo', gritó furioso el general Obregón. 'Bueno, general, perdóneme un momento, ahorita voy a hacer que lo pasen a usted'. Vi al general en un estado como para sacar la pistola y vaciarla, así que le dije al señor Carranza lo que acontecía. Despidió a la otra persona rápidamente y Obregón entró a verlo. Lo seguí para ver si podía ayudar en algo, porque veía al general fuera de sí. Conforme fue pasando la puerta, fue bajándose, bajándose, hasta que llegó y saludó a Carranza muy normal..."

Cuando vino el momento de la sucesión presidencial, había muy cerca de Carranza grandes generales que querían ser presidentes. Los principales eran Obregón y Pablo González, pero también estaba Plutarco Elías Calles. Sin embargo, la idea de don Venustiano era dejar un presidente civil, y había seleccionado al embajador de México en Washington, don Ignacio Bonillas, una persona de dudoso aspecto mexicano porque era pelirrojo, pecoso y calvo. Arreció la competencia entre los generales. Pablo Gómez temía que Obregón pudiera ganarle, porque éste había vencido a Villa en la famosa batalla de Celaya y así, para hacerse de alguna reputación, con cerebro enfermo planeó el asesinato de Zapata, para lo que mandó a un cierto coronel Jesús M. Guajardo. Esto le acarreó tener que salir huyendo a San Antonio: ya qué presidencia ni qué nada. Se inició un levantamiento general. Obregón salió de la ciudad disfrazado de ferrocarrilero para ir a armar a su ejército. El presidente Carranza decidió establecer su gobierno en Veracruz. ¡Vaya idea! Ésta es una de las escenas que algún día quisiera filmar, tomándola de *El rey viejo* de Fernando Benítez, nada más que cuesta mucho dinero hacerla: toda clase de carros de ferrocarril, los empleados que salieron con él, el carro especial donde llevaron el oro de la tesorería...

En aquel éxodo iba un pariente nuestro, el tío Remigio Mateos, que trabajaba en la Suprema Corte de Justicia. Todos sabemos qué sucedió: al llegar a cierto lugar fueron atacados y Carranza asesinado. Allí entraron los intereses petroleros: los que comandaban las fuerzas agresoras eran el jefe de las Guardias Blancas de Tampico y el jefe de Operaciones de Tampico. Los mandamases de Carranza dijeron a todos: "Váyase cada quien para su casa, no hay nada qué hacer. El señor Carranza ha muerto. Tomen el dinero que puedan y váyanse". En la confusión, el tío Remigio vio un tren que apuntaba para México y que iba a salir y quiso abordarlo. En ese momento, un soldado le puso el máuser enfrente y le dijo: "No puede pasar". Ya se retiraba pensando qué medio de transporte podría conseguir para regresar a la ciudad de México cuando, en un descuido del soldado, vio que una de las ventanas del tren estaba abierta. Antes de que otra cosa sucediera, el tío Remigio se metió por la ventana y se sentó, feliz. "Total —pensó—, si me cobran el pasaje aquí tengo para pagar, no hay problema".

Pasó un rato y el tren seguía parado, no salía ni daba trazas de moverse. Entonces el tío Remigio le preguntó al señor del asiento de enfrente: "Oiga, usted, ¿este tren irá a la ciudad de México o a Veracruz?" "No —le contestó—, va a la ciudad de México y va directamente a Santiago Tlatelolco, a la prisión militar, porque todos somos presos". El tío Remigio pensó: "Pues me voy por donde vine", pero al sacar una pierna por la ventanilla un máuser se asomó y tuvo que quedarse en el tren. Estuvo preso en Santiago una buena temporada.

Por esa época, 1920, yo estaba en la preparatoria, en la escuela de San Ildefonso. Ésta tenía un campo deportivo en Paseo de la Reforma, pasando el monumento a Cuauhtémoc. A mí no me sacaban de ahí porque era muy buen corredor. El primer premio que gané en mi vida fue en un festejo del 4 de julio, en el Tívoli, en una carrera de cien metros. Me dieron un guante de beisbol. Una tarde estábamos en ese campo cuando vimos mucho tráfico y gran rebumbio, no sabíamos qué era lo que pasaba. Don Venustiano Carranza vivía a una calle de ahí y lo iban a enterrar, así que salimos del campo y acompañamos el cadáver unas calles. Iba poca gente.

Un hermano de mi papá que no he mencionado, el tío Gonzalo Figueroa, merece un capítulo especial. Era obeso, difícilmente le cerraban las camisas. Tenía ya cincuenta años de edad, o más, cuando encontró a la compañera de su vida, que tenía dos hermanas. Una era viuda, con tres hijos, y la otra estaba casada con uno de los principales miembros del grupo de Pablo González, el general Fernando Vizcaíno. Éste había estudiado en el Colegio Militar, donde se recibió de artillero; era bien parecido, usaba bigotes a la káiser y se vestía muy bien cuando no traía el uniforme. Vivían a una calle de donde vivíamos nosotros, y desde que su cuñada se casó con el tío Gonzalo, el general Vizcaíno trató de acercarse a la familia para obtener una posición social. Los tres sobrinos del general eran una calamidad. Cuando el tío Gonzalo estaba de novio oficial, iba a visitar a su novia con un bombín y los muchachos le ponían engrudo dentro, así que cada vez que se lo ponía se le pegaba el sombrero. Al general, sus sobrinos le escondían la paga de los soldados y él los agarraba a fuetazos.

Una de las primeras aventuras que le conocimos a este general ocurrió cuando empezó a haber policías de tránsito en México. En la esquina de la calle de Soto y avenida Hidalgo, un policía le marcó el alto al coche del general Vizcaíno, que iba con su cochero y sus caballos. Cuando el cochero se detuvo, el general se indignó:

—¿Por qué se para usted?

—Porque está poniendo el alto el policía, señor.

—Al general Vizcaíno nadie le pone el alto. Adelante.

Arrancó el coche y al pasar sacó la pistola y le dio un balazo al policía, hiriéndolo. Jamás lo molestaron por este incidente.

Más tarde lo nombraron jefe de Operaciones Militares en Toluca, en el Estado de México. Por ahí el zapatismo andaba muy fuerte, de modo que se trataba de un puesto importante. El general se puso a buscar dónde dejaría a su esposa, y encontró la casa de Nacho de la Torre. Éste era miembro de la aristocracia mexicana y tenía una casa magnífica en la calle de Alzate: un gran jardín, perros terranova, piano de cola completo; en la sala había una piel de oso blanco que nos impresionaba mucho. El general nada más dijo: "Esto es para mí" y se instaló en la casa, dejando ahí a su esposa mientras él se marchaba a Toluca.

En una ocasión nos habló la señora: "Se acerca el santo de Fernando y vamos a celebrarlo. Acabo de conseguir un tren para que vayamos todos los invitados a felicitarlo a Toluca". Mi tía Sara no entraba en esas cosas, pero sí fuimos mi prima Sarita, Roberto y yo. Iban a hacer un baile de disfraces, un baile sorpresa, así que subimos al pullman todos disfrazados, como en un carnaval.

Llegamos al anochecer a Toluca, pero no nos permitieron bajar del tren. Luego supimos que el general tenía preparado un agasajo con su amante, pero en ese momento sólo lo alcanzábamos a ver por las ventanillas del tren, imponente, vestido de militar, con una pelerina, el cuello subido y un gran sable en la mano izquierda. Lo vimos alegar con la señora, que se bajó a darle un abrazo:

—¡No te imaginas la sorpresa que te traemos!

—¿La sorpresa?

El general subió a la señora al tren y le dijo:

—Los zapatistas van a atacar esta plaza de un momento a otro. Ustedes se van a Tenango del Valle, ahí hay un salón y ahorita telegrafían para que lo arreglen, van a hacer el baile allá, pero salgan volados, ahorita mismo.

Salimos a toda máquina. Nosotros habíamos dormido en el furgón, éramos muy chicos y no teníamos nada qué hacer en un baile, que terminó a las seis de la mañana. En el momento en que empezaba a salir el sol, se vio un gran movimiento de fuerzas: el ataque era contra Tenango, y ahí había mandado el general a su familia. Nos regresamos inmediatamente y por fortuna la cosa no pasó del susto.

Poco después el general Vizcaíno regresó de Toluca y le dijo a la señora:

—Ve a mi despacho porque quiero hablar contigo.

Cuando ella entró al despacho, él cerro la puerta con llave y le dijo, tajante:

—Yo te voy a enseñar a darme sorpresas.

Se acercó a una de las paredes y de una colección de arreos de montar tomó un fuete grande. La señora, que lo había acompañado en las batallas y era bragada en serio, corrió a abrir uno de los cajones del escritorio, sacó una pistola y se la puso enfrente:

—Tú me tocas con el fuete y yo te mato.

Toda la gallardía del general se derrumbó, no tuvo más remedio que abrir la puerta y salirse hecho un demonio.

Cuando empezaron los problemas de la sucesión presidencial y estalló el levantamiento de que hemos hablado, llegaron por el general Vizcaíno a su casa, acusado del delito de rebelión. Lo aprehendieron en su oficina, tratando de destruir los papeles comprometedores. Su mujer alcanzó a Obregón antes de su salida de la capital y le dijo que se habían llevado a Fernando, su marido, a la escuela de tiro:

—Es una barbaridad, yo le voy a dar un salvoconducto para que no lo fusilen.

Le dictó el salvoconducto a un secretario, lo firmó y se lo entregó, pero cuando la señora llegó a su destino, el general Vizcaíno ya había sido fusilado.

Mi padre, que había perdido a mi madre cuando yo nací y a un hermano mayor tres meses después, se dedicó a beber. Mi hermano Roberto y yo fuimos recogidos por mi tía Lola, hermana de mi padre, quien, ante esta situación, le propuso a mi papá mancomunar los bienes, pues ella era casada y no tenía hijos, y convenció a papá para que se fuera de viaje a París con dos amigos y allá se pasó como dos años. A su regresó murió. También la tía Lola murió.

Entonces Roberto y yo nos fuimos a vivir con otra hermana de mi padre, mi tía Sara, una persona a quien guardo especial cariño por su generosidad y su bondad. Era viuda, y aunque tenía sus rentas no le alcanzaba el dinero, porque además de nosotros dos y de su hija Sarita, tenía a su cargo a la tía Victoria y a otro primo nuestro, Bernardo, que se perdió en un barco durante la primera guerra mundial. Nuestros bienes eran administrados por el esposo de la tía Lola, que había muerto intestada. A pesar de las dificultades económicas que pudiera tener, mi tía Sara era muy orgullosa para asuntos de dinero, y solamente aceptaba lo suficiente para pagar nuestra educación, mientras ella costeaba alimentación, casa, vestidos, etc.

Íbamos a la Escuela John Charteris, frente al monumento a Colón, una de las mejores escuelas de México. Era una escuela inglesa, con una sucursal para señoritas en la calle de Bucareli, a la que asistía nuestra prima Sara.

Nos mandaban a la escuela a pie acompañados por una sirvienta que no debía ser fea, pues era perseguida por muchos galanes. Entre ellos estaba un cochero que manejaba un auto muy elegante, de una familia poderosa, y que, con tal de sacarla a pasear un rato a Chapultepec, nos llevaba al colegio y nos iba a recoger. También se subían al coche Mario Rivas Mercado y Lazo de la Vega, amigos nuestros.

A una cuadra de Zarco estaba la calle de Héroes. Esa calle era muy bonita, era la única pavimentada y allí íbamos a andar en bicicleta, a patinar, a jugar beisbol y a las guerras a pedradas con niños de otras escuelas. Ahí también estaba la casa de los Casasús y la de Antonio Rivas Mercado, aquel arquitecto que hizo el teatro Juárez, de Guanajuato, y la Columna de la Independencia. Le decíamos *El Turco*, pues usaba un fez rojo; uno de sus nietos, Mario, estaba con nosotros en la escuela inglesa. Su hija, Antonieta, era una chica muy brillante, que tuvo un final trágico por sus amores torrenciales con José Vasconcelos y con Manuel Rodríguez Lozano, el pintor. No se sabe por cuál de los dos ella acabó dándose un balazo en la iglesia de Nôtre Dame, en París.

De allí nos cambiamos a una escuela que quedaba a la vuelta, llamada Bartolomé de las Casas. En esa escuela conocimos a Gilberto y Raúl Martínez Solares, amigos que hasta la fecha frecuentamos. Fue ahí donde empecé a mostrar mis inclinaciones musicales, porque se necesitaba a alguien que pudiera dirigir los coros de la escuela.

Yo tenía cierta sensibilidad, pues en la casa siempre se escuchó buena música. Toda la familia era aficionada a la ópera, teníamos los mejores discos de Caruso y además todos eran ejecutantes: mi papá tocaba el violín, sus hermanas el piano, mi prima Sarita el arpa, en fin. Me ofrecí a dirigir los coros de la escuela. Empezaba marcándoles el paso a los muchachos y les daba el tono. Cantábamos "Himnos de guerra, de triunfo y de paz", que era algo así como:

Cantar, cantemos sin cesar,
soldados de la guerra,
soldados honrados en toda ocasión.

Toda la escuela cantaba conmigo y era uno de nuestros números sobresalientes: íbamos de visita a otras escuelas, nos llevaban a las celebraciones del 15 y 16 de septiembre y del natalicio de Benito Juárez, y a la menor provocación venían los coros. Así nació mi inquietud por el estudio de la música.

Desde algunos años antes, nos entreteníamos con un teatrito de títeres, con la proyección de películas en un círculo cerrado, jugando al ajedrez con las personas mayores o íbamos frecuentemente al cine Mina, donde nos dejaban entrar gratis. Ahí veíamos las comedias de Charles Chaplin: *Vida de perro*, *El emigrante*, *El vagabundo*, *The kid*, etc., y de otros comediantes, como Max Linder, Arbucle, Buster Keaton, Harold Lloyd; las series de episodios de William Duncan y las de Eddie Polo (Roleaux), *Los misterios de Nueva York*, *La moneda rota*; las comedias de Mack Sennet, así como las películas de arte italianas y francesas: de Francesca Bertini (*Hesperia*) o de Pina Menichelli —esta última la armó con su película *El fuego*, de Gabriele d'Annuzio—. Nuestros deportes fueron el beisbol y el basquetbol.

Tiempo después entramos al Conservatorio para estudiar música, yo el violín y mi hermano Roberto el cello. Eso nos condujo con el tiempo a formar un cuarteto con el que dábamos la lata a todas las familias de nuestros amigos interpretando "Las mañanitas".

Llegó también nuestra afición por la fotografía. Teníamos una camarita Premo 00 de Kodak, luego revelábamos e imprimíamos las fotos en papel solio (un poco velado) que comprábamos muy barato en el famoso mercado del Volador, allí donde ahora está la Suprema Corte, cerca del Zócalo.

Jugábamos mucho con los primos López Mateos. Su mamá, mi tía Elena, era hermana del tío Remigio Mateos. Era directora de un asilo, una persona muy preparada, de gran cultura, buena poetisa y muy guapa; jamás perdió la sonrisa. Se había quedado viuda con sus cuatro hijos: Mariano, Elena, Adolfo y Esperanza. Las familias se reunían a tomar el té y nosotros jugábamos en la azotea. En medio estaba la escalera de acceso y a un lado estaban los tinacos, en un espacio pequeño. De un tinaco salía un tubo para bajar el agua a los baños y quedaba en el aire, a unos quince centímetros del piso. Abajo había un baño que habían hecho después de la construcción de la casa, como de dos metros de altura, cubierto con láminas. Roberto y yo jugábamos competencias. Nos subíamos al tubo para ver quién lograba pasar del tinaco al voladero sin bajarse. Adolfo se sintió picado, se paró en el tubo y se siguió, cayó al techo y luego al suelo. Nos asustamos muchísimo y se armó un escándalo en la casa, pero no le pasó nada porque era muy fuerte y además el techo amortiguó la caída. Años después comentaría que por poco no llega a presidente, porque nosotros lo habíamos empujado de chicos para deshacernos de él.

En la casa querían que fuéramos ingenieros, abogados o doctores, carreras que daban lustre a la posición familiar. Protesté y dije que no era para el estudio. Para mis adentros pensaba: "Soy un asno" (nunca en mi vida he podido escapar de eso pero al parecer lo he llevado bastante bien). Los convencí de que no podía estudiar y aceptaron siempre y cuando emprendiera otras actividades. Así, después del primer año de preparatoria entré al Conservatorio de Música a estudiar violín, a la Academia de San Carlos a estudiar dibujo y al estudio de Lalo Guerrero para aprender fotografía.

Poco después, murió la tía Sara. Roberto y yo decidimos pedir cuentas al albacea de la testamentaria, el licenciado Ortiz González, y exigirle dinero, pues únicamente enviaba lo de las colegiaturas. Habían transcurrido más de diez años desde que administraba nuestros bienes y ya era una fortuna. Sólo de las rentas recibía cuatro mil pesos oro mensuales.

Habíamos decidido nombrar a un nuevo tutor y albacea, cuando murió el licenciado Ortiz González sin dejar un quinto y con todas las casas hipotecadas. Un desastre financiero. Todo sucedió muy rápido y, como no había pagado los réditos hipotecarios, nos remataron todas las casas. La hipoteca de una de ellas la tenía la Fundación Mier y Pesado. Fuimos a ver al señor Fernando de Teresa, quien era miembro del consejo de la Fundación y pariente de mi abuelo. Él nos llevaba de chicos a jugar y a visitar el hermosísimo jardín de su casa en Tacubaya, que, para recorrerlo, tenía un pequeño ferrocarril (el que está actualmente en Chapultepec) y se tardaba muchos, pero muchos minutos en hacer el recorrido. Trató de ayudarnos pero no pudo hacer gran cosa. Total, que no pudimos rescatar nada, pues todas las propiedades se las adjudicaron únicamente por el valor de la hipoteca.

Cuando nuestra prima Sarita se casó, nos mudamos a la casa de la calle de Violeta, que estaba fuera de la testamentaria y no tenía pisos ni puertas. Nos las arreglamos y compartimos los gastos con los Martínez Solares, que se fueron a vivir con nosotros.

Tuve que dejar los estudios de música y dibujo y desde entonces me dediqué por completo a la fotografía. Tomé un trabajo en la calle de Guerrero, cerca del mercado de Martínez de la Torre. Antes de que llegara a México la iluminación artificial, los estudios de fotografía se ubicaban en las azoteas para aprovechar la luz cenital. Este estudio de la calle de Guerrero era así, con luz natural, con fondos pintados y una columna de madera en la que la gente se recargaba para que la fotografiaran. Eran unos retratos muy ingenuos, muy simples, con posturas consagradas: el señor sentado y la señora de pie o al revés, de cuerpo entero. Por el fondo y los detalles, se puede identificar éste como el estudio fotográfico donde Edward Weston y Tina Modotti fueron a retratarse.

Ahí trabajé una temporada, pero lo dejé porque no había nada que me ayudara a progresar en mis conocimientos. Luego tuve que aceptar un trabajo muy singular. Acababan de llegar a México los fotógrafos rusos y habían puesto en la avenida Hidalgo tres o cuatro establecimientos donde daban muy baratas las fotografías para pasaportes, credenciales, etc. Todos los fotógrafos de México estaban indignados por los precios en que daban las fotografías, así que se juntaron y pusieron dinero para abrir un estudio que pudiera contrarrestar la competencia dando los retratos aún más baratos que los rusos. El encargado era un señor Juan de la Peña, que me habló para que fuera a trabajar con él. En mi vida había trabajado tanto. Él se dedicaba a retocar y cobraba por el retoque de cada una de las placas. Como no le daba el tiempo para nada más, yo cargaba las placas, retrataba a todo el público (cada persona se retrataba de frente y de perfil), revelaba los negativos, los lavaba, los colgaba, después del retoque los imprimía y los cortaba uno por uno en ovalito: cien docenas diarias de retratos ovalados. Con eso ganaba un peso diario. Una docena de fotografías costaba cincuenta centavos. No quiero que parezca que estoy haciendo un tango, pero muchas veces llegaba a la casa y me quedaba dormido enseguida, ni siquiera me desvestía. Por cierto, no logramos vencer a los rusos.

Ante la necesidad, mi hermano Roberto tuvo que dejar la Facultad de Ciencias Químicas, donde estaba estudiando. Era un gran matemático, excelente deportista y muy buen jugador de ajedrez; tuvo un tablero cuando el campeón del mundo, el doctor Alekhin, vino a jugar partidas simultáneas con veinte personas. Sus facultades para los deportes le sirvieron porque por esas fechas la Telefónica Mexicana había sido intervenida por el gobierno de la Revolución y devuelta a Bell System. Al recibir la compañía, los norteamericanos planearon varias innovaciones, entre ellas impulsar el deporte. Le propusieron contratarlo para entrenar al equipo de basquetbol, pero él se negó, pues no quería ser profesional del deporte. Por último, le dieron un puesto de *office-boy* y entrenó gratuitamente a los jugadores. Sus conocimientos le permitieron ascender y al cabo de unos doce años de trabajar ahí ya era contador de la empresa.

Todos los empleados de la Telefónica Mexicana tenían derecho a un teléfono y, como es natural, sus nombres aparecían en los directorios. Un buen día sonó el teléfono: era una señora que preguntaba si éramos hijos de don Roberto Figueroa y doña Ana Mateos y si podíamos probarlo. Nos explicó que su marido había tenido la hipoteca de una de nuestras casas y se había quedado con ella, pero que con el correr el tiempo se le había hecho cargo de conciencia y antes de morir le hizo prometer a su esposa que nos buscaría. La buena señora nos dio cinco mil pesos oro para compensarnos el daño. En ese tiempo mi hermano Roberto ganaba un peso diario, que sumado al mío hacían setenta pesos mensuales. Cuando recibimos cinco mil pesos oro, nos cambiamos de aquella casa sin pisos ni puertas y tomamos un departamento. Lo primero que hicimos fue comprarnos ropa; habíamos dejado de ver a la familia por las fachas en las que andábamos. De los Figueroa no quedaba nadie, pero de los Mateos, la familia de mi madre, sí, y siempre nos habían visto con cariño y nosotros a ellos. Cuando el sastre nos entregó la ropa fuimos naturalmente a la ópera, daban *La Traviata* en el teatro Iris, y ahí encontramos a toda la familia. Estaba el tío Juan Mateos, ingeniero, una persona de mucho carácter que vivía fuera del mundo, metido en las matemáticas, pues era uno de los mejores astrónomos de México; y también otro tío, Juan Mateos, un diplomático muy simpático casado con la tía Luisa, quien era dueño y director de una escuela en la Plaza de Miravalle. Les dio tanto gusto vernos que nos invitaron a comer todos los sábados a su casa. Aceptamos gustosos porque, aparte del cariño, era la única comida decente que podíamos hacer a la semana. El tío Juan nos conectó nuevamente con la tía Lolita Mancera, con quien mi mamá vivió mucho tiempo. También le dio gusto vernos y nos propuso comer todos los domingos en su casa en Tacubaya; aceptamos volados, pues con ésa serían dos comidas con vino a la semana, lo cual solucionaba en parte nuestro problema alimenticio. El día de los Santos Reyes, el tío Juan nos invitó a partir la rosca en casa de los Legarreta en Tacubaya. Según la costumbre, el que se sacaba el muñeco hacía el baile de febrero, con orquesta y todo. No queríamos quedar mal ni hacer quedar mal al tío Juan, así que, para sorpresa de todos, la rosca no traía muñeco. Hubo grandes sospechas, pero el muñeco no apareció... me lo tragué.

Por un tiempo, mi hermano Roberto salió de viaje al interior de la República, por lo que, para no quedarme tan solo, me mudé a la privada donde vivía Chicho, mi primo, el zapatista. La privada estaba en la esquina de Leona Vicario y Mixcalco, pertenecía al escultor Germán Cueto y por el lado de Mixcalco vivían Diego Rivera y Lupe Marín. Pronto mis amigos Gilberto y Raúl Martínez Solares se fueron a vivir conmigo, pues sus familiares se habían ido a radicar a Monterrey. Hicimos una cooperativa para los gastos de la casa, sólo que la leche no nos alcanzaba, pues un hijo de Chicho se tomaba toda la leche posible, era un niño como de anuncio, muy hermoso pero...

En esa casa conocimos a Diego Rivera y a la esposa de Germán, Lola Cueto, que hacía unos tapices artísticos magníficos. Yo los fotografiaba y eso me puso en contacto con pintores y escultores a quienes también les hacía trabajos, como Rodríguez Lozano y *El Corcito* Ruiz.

Gilberto Martínez Solares se inició allí en la fotografía y más tarde, entre los dos, compramos el estudio fotográfico de la avenida Hidalgo. Teníamos buena clientela aparte del público, pues retratábamos a los artistas del teatro de Pepe Junco (Tamez, las Blanch, Sara García, etc.), a las discípulas y amigas del compositor Jorge del Moral y también a las artistas de las compañías extranjeras que venían a México.

Más tarde Gilberto regresó a Monterrey, donde montó un estudio con gran éxito. A la larga, después de un tiempo, volvió para instalar uno de los mejores estudios fotográficos de la ciudad, en la calle de Madero, en el que ganaba mucho dinero y realizaba un espléndido trabajo. Poco antes de entrar de lleno al cine, yo hacía mis trabajos en su estudio. Así nos iniciamos ambos en el campo de la fotografía, que nos llevaría a tantos logros y a aventuras que jamás hubiéramos imaginado.

Antes de poner nuestro estudio, trabajé con varios fotógrafos. En esto, tropecé con José Guadalupe Velasco, quien tenía un estudio fotográfico llamado Brooklyn. Venía de Chicago, de haber trabajado en estudios con iluminación artificial, cosa que en México no se usaba para nada. Aquí, todos los estudios funcionaban en las azoteas con luz natural y cortinas. El alumbrado era muy divertido y se hacía a base de cortinas negras y blancas. El señor Velasco fue el primer fotógrafo que puso un estudio con pura luz artificial, que manejaba muy bien. En ese momento, que era la época de "las pelonas", creó un estilo. Cambiaba el maquillaje de las señoras: les hacía una boca de corazón —siempre con retoque, cosa que es bastante difícil— y les pintaba pestañas —lo que significaba raspar el negativo, un trabajo muy delicado porque si uno se equivoca, echa a perder el negativo—; sólo les agregaba la boca y los ojos. Ganaba el dinero que le daba la gana. Tenía a todas las artistas del teatro: a todas las segundas de Soto, a todas las primeras y a todas las triples. Toda la vida lujuriosa de México iba ahí a retratarse. Yo era su impresor y retrataba cuando él no estaba.

Velasco era muy singular. Cuando bebía, bebía en serio. En ese entonces tomaba coñac, pero a lo grande. Cuando daban las ocho de la noche cerraba el estudio y llamaba a un guitarrista extraordinario, a quien apodaba *Maciste* por su estatura, y que era su gran amigo. Conseguía todo lo que necesitaba para una buena parranda. Llamaba a alguna de las casas, no malas sino buenas, como la casa Domitila que estaba en la colonia de los Doctores, y pedía que le mandaran diez chicas. Las chicas llegaban felices al estudio porque ya sabían que les daban muy buen trago, muy buena paga y que nadie las tocaba. Velasco retrataba desnudas a quienes tenían mejor cuerpo. Hacía muy buenos desnudos artísticos, con luz artificial, nada de pornografía. Se daban las grandes divertidas, con *Maciste* tocando la guitarra y todos tomando hasta las cuatro de la mañana. Yo no me quedaba a ninguna parranda, porque no me invitaban. Era un chamaco y además era empleado de Velasco. Pero llegaba al día siguiente y encontraba todo revuelto. Recuerdo las cajas de cigarros Camel y las botellas de coñac Martell tiradas en el suelo. A los dos días, el señor Velasco recibía la cuenta de las chicas que habían posado y pagaba religiosamente cuatro o cinco mil pesos, que en aquel tiempo eran una fortuna. Se divertía a lo sano, porque en realidad lo que le gustaba era beber, oír música y fotografiar desnudos. Ahí aprendí, y posteriormente me sirvió mucho en el cine, que la iluminación artificial es esencial en la fotografía de cine para crear ambientes.

Más tarde me separé de Velasco, y fue cuando Gilberto Martínez Solares y yo instalamos nuestro estudio. Una noche, en la época de los disturbios escobaristas y delahuertistas, llegó un militar y me preguntó:

—¿Puede usted fotografiar con magnesio?

—Sí —le respondí.

—Pues vamos, acompáñeme. Traiga su cámara.

Saqué la cámara y me subí con él al coche que traía. Fuimos a la guarnición de la Plaza. Al llegar, me ordenó sentarme y esperar. Escuché que estaban citando a varios generales por teléfono. Tres o cuatro horas después, me pidieron que armara mi cámara y pasara a fotografiar. Entonces me encontré con que se trataba de un juicio sumario contra el general Jesús Palomera López, quien, junto con el general Roberto Cruz, se había levantado en armas contra el gobierno. Cruz había escapado, pero a Palomera López lo pescaron cuando iba a subirse en un avión en San Luis Potosí. La fotografía la querían para demostrar que se había llevado a cabo un juicio. Tomé las fotografías y me dieron instrucciones de entregarlas a las seis de la mañana. No dormí. Fui al estudio, revelé, imprimí y regresé a la guarnición. Me pagaron muy bien.

Cuando regresé al estudio, mi socio, que era diez años mayor que yo, tenía mucha experiencia en la vida y había sido periodista, me dijo que lo que había hecho era fabuloso, pues me había quedado con los negativos de algunas fotografías del juicio. Me propuso venderlos a los periódicos. No era mala idea, pero me preocupaba meternos en líos.

Por teléfono, mi socio ofreció la fotografía del juicio sumario de Palomera López. *Excélsior*, *El Universal* y otros periódicos contestaron que ya la tenían. Sólo en *La Prensa* nos dijeron que no la tenían y que les interesaba comprarla. La llevamos y nos pagaron muy bien por una de aquellas fotografías.

Me quedé nervioso, con la tentación. Me levanté a las cinco de la mañana y compré todos los periódicos. El único que publicaba la fotografía era *La Prensa*. Me asusté, pensé que me meterían en la cárcel o algo así. Le dije a mi socio que se quedara en el estudio y que me iría a Puebla. No le quise decir ni dónde estaría.

A los dos días hablé por teléfono desde Puebla. Mi socio me dijo que regresara, que no pasaba nada, y que el día anterior había ido un militar que lo había llevado a fotografiar otros juicios sumarios. Regresé y seguimos fotografiando todos los juicios sumarios de la revuelta escobarista.

Esta experiencia, junto con otras, del uso del magnesio, me sirvieron muchos años después para resolver un problema de iluminación y para todos los efectos de relámpagos y bombardeos a grandes distancias en la película que hice en Yugoslavia en 1969: *Kelly's Heroes*.

CAPÍTULO II. LOS INICIOS

Corría el año de 1932, Gilberto Martínez Solares había regresado de Hollywood y trabajaba en su estudio de la avenida Madero, donde yo hacía mis trabajos. Al mismo tiempo, Alex Phillips fotografiaba *Santa*, la primer película sonora que se hacía en México. Gilberto lo había conocido allá y en ese momento lo ayudaba con las fotografías que él tomaba. Me presentó con él. Le hice saber de mi interés por trabajar y aprender cinematografía... "Te conseguí trabajo como fotógrafo de fijas, *stillman*, en la película *Revolución* de Miguel Contreras Torres", me dijo Alex Phillips. Y a ésta siguieron otras: *La mujer del puerto*, *Sagrario*, *La noche del pecado*, etcétera.

Chano Urueta, que debutaba como director, me invitó a trabajar como fotofijas en su película *Enemigos*, con Miguel Delgado y Gaby Soler en el reparto estelar. A los pocos días fue el santo de Gaby Soler, así que Chano, Miguel, *El Frijol* y yo fuimos a su departamento a felicitarla. Al llegar, vimos que adentro había personas bien arregladas: de smoking, militares, etc. No quisimos entrar, pero Gaby insistió: "Cuando menos tomen algo..." "Bueno, en la cocina", dijimos. Nos instalamos en la cocina, en una "caballeriza" que tenía, y tomamos y contamos una buena cantidad de cuentos. Al rato, los que estaban en la sala —Lalo Vasconcelos, el general Leobardo Ruiz, Raulito, Agustín Lara, entre otros—, vinieron, trajeron sillas y se acomodaron en la cocina. Aunque nosotros andábamos en chamarra, nos dieron a conocer el programa del festejo de Gaby: "...de aquí nos vamos al departamento del *Güero* Olivier, después a otro departamento y terminaremos en la casa de Chita, donde nos espera un pozole, menudo y demás" (ésta era una casa particular que ellos llamaban así y que quedaba en la colonia de los Doctores). Alguien propuso ir a El Retiro, donde Raulito tocaba el piano. Sacamos el piano y lo instalamos en la defensa de un coche convertible (claro, era uno muy pequeño). Agustín Lara y Raulito se sentaron cómodamente en el asiento trasero del convertible, desde donde se turnaban para ir tocando el piano. Este agasajo en movimiento era acompañado por todos los invitados en sus carros y cantidad de gente que nos seguía por las calles. Terminamos, de acuerdo con el plan trazado, en la casa de Chita, con gran pozole, cervezas y desvelada, pues a la seis de la mañana acabó el festejo.

Al día siguiente, fuimos a trabajar hasta las seis de la tarde, pues el llamado había sido cambiado. Como a las nueve de la noche, apareció Raulito volando: "¿Dónde dejaron mi piano?" No sabíamos dónde había quedado, así que comisionamos al *Frijolito* (que era ayudante de cámara) para encontrarlo. Fue a todos los sitios en los que habíamos estado y al fin lo localizó en la casa de Chita, y de allí lo llevó a toda velocidad a El Retiro, donde también Raulito llegaba tarde.

Poco tiempo después, Chano dirigió *El escándalo* (1934), de Pedro de Alarcón, y me invitó a realizar la iluminación de la película, a la que siguieron otras dos iluminaciones: *El primo Basilio* (1934) y *María Elena* (1935). Había necesidad de mayor número de técnicos, pues la industria se establecía con rapidez y sólo contaba con tres cinematógrafos norteamericanos.

María Elena fue la primera película de gran producción planeada en inglés y en español sin doblaje, pues entonces no existía. Hanson & Bush de la Ford de México fueron los productores del film; Rafael Sevilla, el director; Alfonso Sánchez Tello, el productor ejecutivo; Jack Draper, el fotógrafo, y Juan José Martínez Casado, el actor principal. Fue la primera película de Pedro Armendáriz, y en ella figuran también, entre otros, Carmen Guerrero, Beatriz Ramos y Emilio Fernández.

La locación fue Alvarado, Veracruz, que era un pueblito de pescadores sin transportación interna de ninguna especie. El ferrocarril llegaba, y niños y cargadores ayudaban a los viajeros llevando sus maletas. Cuando llegaron Carmen Guerrero y Beatriz Ramos de Hollywood, ya en pleno rodaje, un chamaco cargó sus maletas. De pronto, un carnicero salió y le gritó: "¡Hey, muchacho! ¡Hijo de la gran puta!". Rápidamente el chico le contestó: "¡Aguaite ai', compadre! Nomás dejo las maletas de estas putas y regreso a hacerle el mandado".

Yo era *stillman*, pero por dificultades en la producción quitaron al director. La siguió dirigiendo Miguel Delgado, con Charles Kimball como editor, pero Rafael Sevilla les ganó el pleito en México. La producción se suspendió por un mes, y cuando reanudaron Jack Draper ya tenía un compromiso en Estados Unidos, así que les sugirió que me tomaran a mí y él me dejaría a su operador, Bill Clothier. Así fue, yo terminé la película.

Dos años después se formó una gran empresa, la Compañía Cinematográfica Latinoamericana, la CLASA, de los señores Alberto J. Pani y Rico Pani, su hijo, quien me ofreció un contrato como director de fotografía.

—En realidad, yo todavía no soy fotógrafo —le contesté—, y no puedo hacer lo que no sé.

—Pero no, hombre. Hemos visto lo que ha hecho usted y creemos que tiene un gran porvenir, así que firmemos el contrato.

Yo me resistía, tenía gran necesidad de trabajar y ganar dinero, pero era una cuestión de ética profesional.

—Bueno, vamos a ver, ¿qué es lo que necesita usted?

—Estudio —respondí.

—¿Ah, estudio? Vamos a hacer una cosa: qué le parece si se va usted a Hollywood a estudiar. CLASA le da una beca para que después trabaje aquí con nosotros en los estudios que estamos terminando de construir y que van a contar con un buen laboratorio.

Ante tan contundentes argumentos no pude dudar más:

—¿Dónde firmo?

Así fue como llegué a Hollywood en 1935. La única persona que yo conocía por allá era Charlie Kimball, el editor de *María Elena*. En cuanto llegué al hotel Roosevelt llamé a Charlie. Me contestó el señor Hanson, productor de aquella película, con quien había tenido un disgusto en México por las copias de los *stills*. Inmediatamente me notó el acento y me preguntó quién era. Como Charlie no estaba, le dije dónde me encontraba y que esperaría a que él me llamara.

A los veinte minutos el señor Hanson, gerente de Hanson & Bush de la Ford de México, tocaba a mi puerta. Hanson era argentino, y era un individuo corpulento y muy alto. "Usted y yo tuvimos un problema en México", me dijo. "Pero de ahora en adelante le voy a enseñar quién es Hanson. Vamos a olvidarlo todo". Me dio la mano: "Vamos a ser amigos". Lo primero que hizo fue empacar mis cosas, alegando que si estaba allí becado no podía vivir en un hotel tan caro, que ellos estaban en uno que no era caro y donde él tenía una "hermosa villa" con piscina y demás.

Cargó mi maleta, bajamos, liquidamos la cuenta. Su hotel quedaba en la calle de Vine, cerca del estudio donde yo iba a estudiar. Con él vivían Charlie Kimball y Barry Norton, un actor argentino que tenía veintisiete años, era muy, pero muy bien parecido, y había sido galán de Marlene Dietrich y de Dolores del Río, pero estaba acabado, pues Hollywood le puso "bola negra" y solamente podía trabajar como extra.

Mi rutina diaria era ir por la mañana al estudio de Samuel Goldwyn en Santa Mónica, a mediodía comía en Musso Franck, en el Boulevard, sentado en la barra (desde donde veía a diario a dos meseros acarrear materialmente al famoso actor John Barrymore para depositarlo en su coche) y por la tarde iba al laboratorio de Consolidada, donde Charlie estaba editando *María Elena* y yo le ayudaba con la versión en español; allí aprendí lo que era la edición. Terminábamos a las cinco y media y nos reuníamos entonces con Barry y Hanson en el Brown Derby de Vine para tomar la copa y ver estrellas y hacer amistad con ellas por medio de Barry, quien era perseguido con singular tesón por el sexo opuesto.

Organizábamos *parties* en la villa de Hanson, en la que yo había puesto *stills* muy buenos en las paredes. En una ocasión nos visitó la actriz retirada Alice Terry, esposa del famoso director Rex Ingram, y sin darnos cuenta se llevó todas las fotos para que su marido las viera, dejando una nota para mí. Algunos domingos íbamos a la playa o a la isla de Catalina. Por las noches, al señor Hanson le gustaba tener invitados a cenar y Barry aportaba a todos sus amigos argentinos que vivían allá. Una de las concurrentes habituales a nuestros agasajos era la gran estrella Alice Faye, quien era buena amiga de Barry.

Una noche dimos una fiesta en grande: gente iba y venía, llegaban más, acudieron varias estrellas de cine y se fueron al rato. Así se pasó el tiempo y se hizo de noche. Barry tenía un aparato cambiadiscos de doce que sonaba un poco fuerte. Como a las dos de la mañana se presentó un empleado del hotel a exigir que se acabara la fiesta, pues el ruido no dejaba dormir a los huéspedes. Al señor Hanson se le hizo fácil invitarle una copa jalándolo de la muñeca. Al empleado se le zafó y empezó a gritar del dolor… vino la confusión y el éxodo de los invitados.

Al día siguiente, el dueño del hotel hizo una junta con todos los latinos, que éramos tres. Nos puso un ultimátum: o nos íbamos antes de 24 horas o llamaba a la policía, un escándalo que no le convenía ni a él ni a nosotros. Nos movilizamos con toda rapidez. Conseguimos habitaciones en los departamentos Lido, muy famosos en aquel entonces, y casi por el mismo precio que en el hotel. Barry Norton tomó un cuarto para él solo y nosotros una suite de tres recámaras, donde también vivió Héctor Herrera, otro fotógrafo que estaba estudiando allá.

A la hora de liquidar las cuentas en el hotel, resultó que Barry no tenía suficiente dinero: el pobre pagaba treinta dólares al mes y debía mil, una fortuna. El administrador le dijo que tenía que dejar en prenda toda su ropa y su aparato, aquel que cambiaba doce discos, valía novecientos dólares y era uno de los mejores de la época. Barry se nos quedó viendo con cara de gran angustia, como diciendo: "¿Cómo voy a trabajar si no tengo ropa?" Le guiñé un ojo y subimos para guardar bajo llave sus cosas.

En cuanto llegamos a su habitación, empezamos a llenar sus baúles con ladrillos y botellones de agua, almohadas, sábanas y toda clase de cachivaches para que tuvieran el peso normal de una petaca de ropa. Sus cosas las subimos a mi recámara, en el cuarto piso, porque tenía una ventana que daba a donde los coches entraban al garaje. Era como para vernos: Víctor y yo echando los sacos de ropa por la ventana; Hanson, muy gerente de empresa, fijándose si no nos veía la policía y metiendo los sacos a su coche. Así hicimos la mudanza y por fin llegamos al Lido.

Ya en el elevador, mientras subíamos con el administrador del edificio rumbo a las habitaciones que nos habían tocado, en el cuarto o quinto piso, éste se volteó de pronto hacia Hanson:

—¿Ustedes son amantes de hacer *parties* escandalosas, con música y muchos invitados?

Rebosante de ofendida dignidad, Hanson le lanzó una mirada mortífera:

—*I beg your pardon*?

El otro calló, mientras el elevador seguía su ascenso. Al cabo de un denso silencio, prosiguió:

—Lo preguntaba porque, ¿sabe usted?, el noveno piso tiene unas paredes tan anchas que no se oye ni la música ni los gritos. No se oye nada...

Imperturbable, Hanson se volteó hacía él:

—Vamos entonces al noveno piso.

Durante el tiempo que viví con ellos les ayudé a cortar *María Elena* en español. Entonces conocí a Joe Noriega, un mexicano que trabajaba como editor en la RKO. Llegamos a ser buenos amigos; más tarde le ofrecí un contrato a nombre de la CLASA y vino a trabajar a México, donde enseñó su oficio a otros editores.

Muchas veces íbamos juntos a visitar los estudios y me presentaba a gente que conocía, como Marlene Dietrich. En esa época conocí también a Lolita del Río, que se portó muy amable y me ofreció su ayuda para lo que fuera necesario. Incluso tengo una fotografía con el Gordo y el Flaco, que eran gente muy curiosa y, naturalmente, con un gran sentido del humor.

CAPÍTULO III. ÉPOCA DE ORO

El ambiente que teníamos en el cine, avanzadas las décadas de los años treinta y cuarenta, "La Peña", como le llegamos a decir, se reunía en la droguería del Regis. Esta droguería pertenecía a los Mateos Fournier, quienes por simpatía extendían crédito a la gente del cine desde que éste empezó. Podíamos ir allí a cenar y firmar la cuenta. "La Peña" la formábamos los Sánchez Tello, *Frijol*, Lorenzo Barcelata, Ernesto Cortázar, Charles Kimball, Jack Draper, Julio Bracho, Fernando *El Vate* de la Llave, Carcho Peralta, Jorge Vélez, Emilio Fernández, Antonio Badú, Lalo Quevedo, Miguel Delgado y muchos más. Todos nosotros íbamos cada noche a cenar, algunas veces también a comer y teníamos servicio telefónico, o sea que nos podían dejar recados allí, como si fuera nuestra oficina. La droguería Regis estaba junto al hotel Regis, en avenida Juárez, y entre los concurrentes sosteníamos batallas a huevazos y a pastelazos, que sacábamos de la cocina; el resto de la clientela también participaba en los combates que organizábamos los del cine.

En aquella época Fernando de la Llave, *El Vate*, era un personaje típico y muy famoso en México. Era inteligente y tenía una gran cultura, hizo algunas letras para las canciones de Agustín Lara, pero siempre se las arreglaba para no trabajar. Fue una persona que jamás trabajó. De vez en cuando, la Secretaría de Relaciones Exteriores lo mandaba a dar conferencias a Colombia o a cualquier parte de Centroamérica, y esto era lo único que hacía.

En las noches, cuando ya estábamos todos en el Regis, entraba gritando desde la puerta:

—¿Quién tiene un tostón para pagar el coche del *Vate* de la Llave?

No faltaba algún parroquiano que le prestaba el tostón. Entonces *El Vate* salía, pagaba el coche, regresaba (era muy ceremonioso, muy bien hablado) y le decía:

—Caballero, estoy en deuda con usted, algún día podré pagarle esto, cuando nos volvamos a encontrar.

Entonces el cliente decía:

—No, no tiene importancia, licenciado.

—No, cómo no, estos detalles son en la vida detalles grandes.

—¿No gusta sentarse, licenciado?

—Cómo no.

Y se sentaba.

—¿No gusta tomar algo?

—Sí.

Comía opíparamente, no pagaba un quinto y el cliente aquel le pagaba el coche y además la cena.

Una de sus primeras aventuras fue cuando era estudiante. Hacia 1918 o 1920, hubo una invitación del emperador de Japón a los estudiantes de México. Entonces formó un grupo de estudiantes, y como él era el organizador, su pasaje era gratis. Pero antes de partir compró en

San Juan Teotihuacán un ídolo totalmente falso, que se llevó muy bien envuelto. Cuando los recibió el emperador Hiroito, De la Llave le entregó el ídolo diciéndole que aquella "pieza precolombina" era un obsequio de la juventud mexicana.

El emperador, en retribución a tanta cortesía, le envió a la juventud mexicana un Buda de oro de bastante buen tamaño, que recibió *El Vate* De la Llave. De regreso de Japón, entraron por San Francisco, allí *El Vate* se les hizo perdedizo a los demás estudiantes, vendió el Buda de oro y se quedó viviendo dos años.

Aquí en México arrendaba un cuarto en la casa de la *Gioconda*, en la calle de Lerma, una casa famosa para el cine porque alojaba a Draper, a Kimball, al *Vate* de la Llave, a Vélez. La *Gioconda* tenía una fábrica de muebles coloniales que alquilaba para el cine. Así que de repente, en ocasiones, entraba alguno de ellos a su propia recámara y sólo encontraba el colchón en el suelo, porque sus muebles habían sido rentados para alguna película.

Y llegaban, por ejemplo, a embargar al *Vate* de la Llave, que era al que embargaban siempre, y éste pasaba al actuario y a todos al cuarto de Julio Bracho, y al que embargaban todo lo que tenía era a Julio Bracho, y al *Vate* no lo tocaban. Este personaje tan singular, que vivió en grande completamente gratis, era uno de los clientes asiduos de la droguería del Regis.

Otro habitual allí era el campeón de lucha libre de peso completo en ese momento, Francisco *Charro* Aguayo, con las orejas dobladas y todo. Él y yo hacíamos uno de los números sobresalientes del lugar: armábamos un escándalo a gritos, todo el mundo volteaba y yo sacaba al peso completo éste del *Charro* Aguayo, que pesaba cien kilos, de una oreja, y él se dejaba llevar, riéndose hasta la puerta, donde yo lo empujaba.

Allí había toda clase de trueques, de ventas, de todo; era un ambiente muy agradable.

En la casa de la señora *Gioconda* se hacían cenas que cualquiera de los inquilinos pagaba e invitaban a toda la gente del cine, incluso estrellas, para lecturas de argumentos. Así que aquél era uno de los ambientes que teníamos a la mano y frecuentábamos.

Unos años más tarde, íbamos al Ciro's del hotel Reforma. Allí, por lo general, las reuniones eran los sábados para bailar. Asistían todas las estrellas a tomar la copa con A. C. Blumenthal, que era el que nos atendía siempre y muy bien a todos los del cine.

Allí, Manolo Fontanals, que era escenógrafo de cine y gran amigo nuestro, diseñó todo el salón de baile, Champagne Room y también la famosísima barra del Ciro's, que era sensacional. Y las pinturas que decoraban el Champagne Room, de Linda Christian, las hizo Diego Rivera. Era un lugar muy agradable en el que nos sucedieron mil cosas.

Cuando regresé a México trabajé en un principio como operador. La primera película que hizo CLASA fue *Vámonos con Pancho Villa* (1935), una obra magnífica, muy ambiciosa, de Rafael Muñoz. Fernando de Fuentes era el director y me dijo que escogiera lo que quisiera hacer en la película, posiblemente pensando que haría las fotos fijas. Pero ya no me jalaba por ese lado. Había operado en algunos documentales y numerosos cortos, y fui a hablar con uno de mis maestros, el fotógrafo Jack Draper:

—Nunca he operado una cámara en una producción grande, pero me siento capaz de hacerlo, te lo digo honestamente. Como sé que tú eres un gran operador, te voy a pedir un favor. En el momento en que yo no pueda hacer un movimiento difícil, tú me das la mano y salimos, ¿está bien?

Aceptó encantado y afortunadamente nunca tuve que decirle que hiciera un movimiento de cámara. Creo que operar una cámara depende más de tener un sentido, que de una cosa eminentemente técnica, y por suerte salí bien librado.

Después hice otras dos películas con Draper y ya me sentí completo, capaz de fotografiar una película. Mi primera oportunidad llegó cuando CLASA dejó de hacer grandes producciones y se dedicó a hacer documentales, porque salía muy cara la producción en la forma en que la habían concebido y quebraron. Salimos de ahí Fernando de Fuentes, Alfonso Sánchez Tello, Miguel Delgado y yo, y formamos una especie de cooperativa porque no teníamos trabajo. Se nos ocurrió hacer *Allá en el Rancho Grande* (1936), pero en el momento en que la cooperativa iba a aportar, con grandes sacrificios, los sueldos y demás, Alfonso Sánchez Tello arregló con el Banco de Transportes que pusiera el dinero para la película. En ese momento nos sentimos felices porque íbamos a tener paga completa y alguien que nos pusiera a trabajar, pero a la larga la película fue un éxito de taquilla. Costó sesenta y cinco mil pesos y hasta la fecha ha dado cerca de ochenta millones de pesos de utilidades, lo que nos hubiera permitido montar una buena productora. No lo digo por el negocio, jamás he pensado en el cine como negocio. Como dicen en Estados Unidos: "I'm a movie maker not a money maker". He sido miembro de varias compañías, pero siempre he pensado en realizar las ideas que se me ocurren y no veo si la película va a pagarse o no. La mayor parte de las cintas que he planeado no se han pagado; fueron un éxito, obtuvieron premios internacionales importantes, eran películas visibles que no daba vergüenza mostrar, pero hasta allí llegaba la cosa.

Allá en el Rancho Grande fue la primera película que colocó realmente al cine mexicano en el mercado internacional. Se difundió por todo el mundo y los que participamos en ella nos convertimos en estrellas. Todos empezamos a tener mucho trabajo: Esther Fernández, Tito Guízar, Carlos López *El Chaflán*, Emma Roldán, René Cardona, Lorenzo Barcelata, y me dio mi primer premio internacional en la Muestra en Venecia.

Me pasé una buena temporada, unos cinco o seis meses, sin volver a trabajar. Me ofrecieron un par de películas, pero eran realmente muy modestas, por decirlo de manera galante. Eran muy malas, hechas por directores mediocres, y no quise meterme en ese tren, porque según el tren que uno toma o se va al fondo o llega a la estación. Me esperé a tener otra oportunidad para tomar la vía que a mí me gustaba, y a los seis meses volví a formar una cooperativa con Sánchez Tello. Tuvo mucho éxito la película y de ahí arrancamos más o menos; todos éramos trabajadores eventuales, pero íbamos ligando películas y la pasábamos bastante a gusto.

La etapa en que se desarrolló mi estilo en la fotografía principió con una película que se llamó *La noche de los mayas* (1939), de Antonio Mediz Bolio, dirigida por Jesús *Chano* Urueta en Yucatán, en escenarios grandiosos, con monumentos y pirámides.

Después de *Los de abajo*, de Mariano Azuela, la industria andaba mal; había pocas películas por realizar.

Entonces se presentó una oportunidad fabulosa: una compañía muy fuerte había realizado una película en pésimas condiciones, puestas, desde luego, por los cinematografistas. Era una película malísima. La actriz estaba embarazada y su embarazo fue avanzando durante la filmación; el director creía que con tomarle *close-ups* nadie se iba a fijar, pero de todos modos se notaba mucho. Al ver el resultado, los capitalistas dijeron que se retiraban definitivamente del cine, pero un amigo mío, el licenciado White Morquecho, que era su abogado, me conectó con ellos porque se dio cuenta de que no se podía dejar escapar semejante capital. Uno, no precisamente de los más ricos, era Carlos Trouyet; otro era Hipólito Signoret, el del Palacio de Hierro; uno más era la casa de bolsa Julio Lacaud, de Isabel la Católica, entre los principales.

El licenciado White me presentó con ellos y les propusimos hacer una película. Se juntó casi el mismo equipo de *La noche de los mayas*: *Chano* Urueta, Arturo de Córdova, Emilio Gómez Muriel, que era el editor; Miguel Delgado, el asistente de director; B. J. Kroger, el ingeniero de sonido. Creamos una cooperativa: nosotros pondríamos cincuenta por ciento de nuestro sueldo y ellos el resto; entrábamos en participación de acuerdo con lo que sacáramos.

Para la primera película buscamos algo ligero, que se pudiera manejar bien y, sobre todo, cumplir económicamente, porque a esa gente de mucho dinero siempre le ha interesado que se cumpla con lo que se ha prometido. Era una comedia de Carlos Arniches, creo, titulada *¡Que viene mi marido!* (1939), con Arturo de Córdova como estelar y Beatriz Ramos era la intérprete femenina. Antes de hacerla salieron algunas notas en el periódico y gracias a eso me habló mi amigo Ben Nevoulis, gerente de la American Photo Supply, que vendía todo el material fílmico. Quería ayudar al grupo y nos dio muy buen crédito, lo que desde luego alegró a los empresarios. Del presupuesto original pudimos ahorrar un diez por ciento más. La película quedó muy bien hecha, porque todos éramos profesionales y no era una cosa difícil: la sacamos adelante.

Los empresarios se entusiasmaron. Encantados con la primera película, se mostraron dispuestos a respaldar el siguiente proyecto. Queríamos lanzar a Julio Bracho como director, con una obra que él había adaptado y que se llamaba *¡Ay, qué tiempos, señor don Simón!* (1941). Se decidieron a hacerla en grande, vestirla muy bien y presentarla con buenos escenarios de Manolo Fontanals. Ahí apareció una figura definitiva para el cine mexicano: Agustín J. Fink, que entró como gerente de la nueva empresa. Llegamos a un arreglo, pues la cooperativa la habíamos creado por falta de trabajo. Como la compañía era muy fuerte, nos contrataron a todos para hacer una producción continua, importante, de unas seis o siete películas anuales. La empresa se llamó Films Mundiales y firmamos un contrato exclusivo, formando el departamento técnico. Nosotros proponíamos las películas que debían hacerse y ellos, como no sabían nada de cine, tenían un grupo de gente que corregía las adaptaciones y diálogos, un buen equipo formado por Xavier Villaurrutia, José Luquín, Celestino Gorostiza, Salvador Novo, Rafael Solana y otras personas vinculadas con el teatro.

Tiempo después, durante la filmación de otra película, teníamos un set que era un patio español todo lleno de azucenas, con una fuente en medio, de unos dos metros de diámetro más o menos, del que subía una escalera al segundo piso. Un set bonito. A Agustín Fink se le ocurrió hacer ahí la primera fiesta de Films Mundiales para invitar a todos los socios. Pusieron unas mesas muy agradables y arreglaron todo aquello, pero un set cinematográfico es tan amplio que si no tiene las luces propias para una escena se ve de una tristeza tremenda. Cuando llegaron todos los invitados, Fink estaba preocupado porque la fiesta estaba muy apagada.

Ya le habían contado que yo era muy alegre, y más con unas cuantas copitas encima, así que me invitó a la cantina. Pidió en vasos normales de agua medio vaso de coñac para él y medio para mí y nos los tomamos de un trancazo. Seguimos platicando y al segundo vaso, me dijo:

—Mire, usted y yo vamos a animar la fiesta, porque esto está muy triste. Voy a hacer de maestro de ceremonias y seré lo más chistoso que pueda. Usted va a hacer algún número, a cantar, bailar, recitar, no sé qué va a hacer, pero tiene que hacer algo. Me han dicho que usted baila.

—Sí, bailo y bailo clásico.

Ahí estaba la mujer de Julio Bracho, Diana, que era bailarina profesional de Bellas Artes. Fink anunció que íbamos a bailar la danza del fauno y entonces salí detrás de la ninfa. Diana estaba fabulosa, bailaba muy bien; el cómico ahí era yo. Como vi que yo no tenía gran éxito, porque los pasos que conocía los tenía que repetir, se me ocurrió subirme al segundo piso, bajar las escaleras volando y saltar la fuente. La gente vio de inmediato que andaba cuete y medio, y temía que me cayera, así que a la hora que pude saltar fue una ovación impresionante. Me piqué y lo hice dos o tres veces más, hasta que me pararon (en una de ésas me iba a caer de la fuente) y se levantó a cantar Jorge Negrete, más tarde cantaron también Los Calavera, y la fiesta tomó cuerpo.

Antes de *¡Ay, qué tiempos, señor don Simón!*, Julio Bracho había sido director de diálogos en una película (*Ave sin rumbo*, 1937) en la que trabajaba Andrea Palma, dirigida por Bob Quigley, quien no hablaba español. Aquella película tenía que ser rodada por Alvarado, Veracruz, donde en esa época no había absolutamente nada, ni coches, ni nada; era sólo una calle o dos, y se podía atravesar a pie toda la ciudad. Al bajar del tren, el gerente de producción cogió una lista y echó un discurso, diciéndole a la gente que ahí no había hotel ni acomodo digno de las personalidades que iban a trabajar en la película, y pidió una disculpa a nombre de la compañía. Luego empezó a decir que había encontrado habitaciones en la escuela o en casa de la señora Fulana, Mengana o Zutana, y que deberían acomodarse tres o cuatro personas en cada una y en catres de campaña. Procedió a repartir a cada quien según la lista: el señor Zutano o el señor Perengano, etc. Julio Bracho siempre se vistió muy propiamente; llevaba un sombrero inglés de tela gruesa y guantes, estaba muy elegante y era bien parecido. No oyó su nombre, así que se acercó al gerente de producción:

—Perdone usted, mi nombre es Julio Bracho...

—A ver, discúlpeme... Ah, sí, Bracho, Julio Bracho, usted está en la calle de Centenario número dos, en la casa de las señoritas quién sabe quiénes y ahí tiene usted un cuarto con sala.

—Ah, no —dijo con enorme generosidad Julio Bracho—. He oído que están acomodando cuatro o cinco personas en un cuarto y no quiero distinciones. De ninguna manera puedo aceptar un cuarto con sala.

—No, señor Bracho, se equivoca, el cuarto lo comparte usted con Ángel T. Sala, otro de los actores que viene a trabajar en la película.

Con Films Mundiales hicimos después *Historia de un gran amor* (1942), con Jorge Negrete y Gloria Marín, también dirigida por Julio Bracho. Con la llegada de Dolores del Río a México y su incorporación al cine mexicano, vino el paso definitivo. Films Mundiales le propuso participar en una película y aceptó hacer *Flor silvestre* (1943), dirigida por Emilio Fernández, quien también trabajaba por primera vez con nosotros. Tengo entendido que era su tercera película. El galán en esa ocasión era Pedro Armendáriz. Para la fotografía me inspiré mucho en las obras de los grandes pintores y grabadores, especialmente de José Guadalupe Posada. Tomé muchos de sus bocetos: los fusilamientos, cómo formaban el pelotón, cómo ponían la pala y el pico, etc. También usé algo de Diego Rivera y otro poco de José Clemente Orozco; tenía gran interés en incorporar la plástica mexicana a mi trabajo. Dice Octavio Paz que "El estilo en el artista es donde el espíritu ha encontrado su lugar"; *Flor silvestre* fue la película que marcó mi estilo, mi imagen de México.

Ya terminada la película, la proyectamos en una función especial con todos los pintores y amigos de Dolores que tenían interés en ver lo que había estado haciendo. A mí me tocó (¡esas casualidades!) estar sentado junto a José Clemente Orozco. Hay una escena del exterior de un velorio en que se ve una puerta al fondo, algunos cirios, algunas personas. Cuando salió esa parte, Orozco se enderezó un poco como reconociendo alguna paternidad en eso, y le dije:

—Maestro, soy un ladrón honrado. Eso es copia de la acuarela que usted tiene que se llama *El réquiem*.

—Pues sí, algo reconocí, pero me ha llamado la atención la perspectiva, y sobre todo la transparencia que esto tiene, que no llega a un fondo y se detiene, sino que sigue. Necesita usted invitarme a verlo trabajar para ver cómo logra la perspectiva.

A mí me halagó mucho oír una opinión así de una gente del tamaño de José Clemente. Ya luego Diego Rivera, Orozco y *El Chamaco* Covarrubias iban al set seguido.

Vino el santo de Lolita y nos reunimos todos a cantarle "Las mañanitas". Fue algo muy bonito, porque ella tenía muchos años de no recibir "Las mañanitas" y de desayunar con chocolate. De ahí salió el proyecto de *María Candelaria* (1943) y Emilio le regaló los derechos del guión. El equipo ya se había consolidado: Agustín Fink, productor; Emilio Fernández dirigiendo; Pedro Armendáriz como galán, y yo como fotógrafo. Nos llevábamos de maravilla todos y teníamos un hermoso trabajo.

Dolores del Río merece un capítulo especial, pues con su entusiasmo por México, sus amistades con todos los valores del arte, como don Alfonso Reyes, Diego Rivera, José Clemente Orozco, David Alfaro Siqueiros, Salvador Novo, Carlos Pellicer, Xavier Villaurrutia, Carlos Chávez, Pepe Gorostiza, Pepe Revueltas y su hermano Silvestre, gran músico; el escultor Ignacio Asúnsolo; el arquitecto Mario Pani, y muchos otros artistas con los que nos conectó, se formó una "mística" por lo nuestro para impulsar en esa época el teatro, la danza y el cine, pues la pintura, la arquitectura, la escultura, la poesía y la literatura ya estaban avanzadas.

En ese momento, los directores Emilio Fernández, Julio Bracho, Juan Bustillo Oro, Alejandro Galindo, Fernando de Fuentes y Roberto Gavaldón, principalmente, realizaron importantes películas. En nuestro equipo en Films Mundiales hicimos *¡Ay, qué tiempos, señor don Simón!* (1941), *Historia de un gran amor* (1942) y *Distinto amanecer* (1943), de Julio Bracho, y *Flor silvestre* (1943), *María Candelaria* (1943), *Las abandonadas* (1944) y *Bugambilia* (1944), de Emilio Fernández, con Dolores del Río y Pedro Armendáriz, el escritor Mauricio Magdaleno, Emilio Gómez Muriel y Gloria Shoemann en la edición y yo como director de fotografía. Todos capitaneados por Agustín Fink. Fue un grupo de obras que realmente dio prestigio a la industria mexicana del cine, tanto en el país como en el extranjero.

En la parte fotográfica —modestia aparte— creo que logramos una imagen mexicana reconocida en Europa, Estados Unidos, China y Japón, y por esa imagen vinieron a alentarnos muchos premios en los grandes festivales: por *María Candelaria* en 1946 en Cannes, Francia, y en 1947 en el Festival de Locarno, Suiza; por *Enamorada* en 1947 en el Festival Mundial del Film de Bruselas, Bélgica, y por *Río Escondido* en 1948 en Karlovy-Vary, en Checoslovaquia.

Lamentablemente, al estar haciendo *Bugambilia* (1944), murió Agustín Fink. Nombraron a otro gerente a quien se le hizo fácil decir: "No quiero genios" y cancelar los contratos de Dolores del Río, Pedro Armendáriz, Emilio Fernández, Julio Bracho, Gómez Muriel y el mío. A la calle otra vez, a buscar trabajo, después de haber estado ahí unos cuatro años sin pensar jamás en que nos aumentaran el sueldo, aunque no ganábamos mucho —creo que yo ganaba trescientos pesos a la semana, cuando estaba trabajando.

Un día, en Cuernavaca, casi al final de la filmación de *María Candelaria*, tuvimos una agradable sorpresa cuando vino a visitarnos don Alfonso Reyes, el gran escritor. Le pusimos una silla, le dimos café y se quedó toda la mañana viendo filmar. De ahí nos íbamos a Taxco, así que lo invitamos.

—¡Cómo no! Desde chico siempre quise irme con un circo y ahorita me dan la oportunidad, así que yo encantado.

Don Alfonso era una persona fabulosa. Ya después, en Taxco, nos contó una anécdota preciosa. Él visitaba a una famosa señora llamada *La Bandida*, Graciela Olmos, que tenía una casa mala (no tan mala). Era compositora del "Siete leguas" y de algunos corridos y varias canciones. Iba muy seguido a jugar dominó con ella, llegaba con una boina vasca, la dejaba a un lado y empezaban el juego. A ella le encantaba que don Alfonso la visitara, porque era conversador, y una gente tan inteligente y sabia. En una de ésas llegó el momento de los elogios mutuos: "Usted es todo un escritor". "No, Graciela, usted es una poetisa formidable". "No, don Alfonso, qué poetisa ni qué nada, escritor usted, usted es el mejor escritor que hay". "No, pero qué poetisa es usted", etcétera.

—Mire, dígame una cosa, Graciela, ¿de dónde sacó usted esa figura poética tan hermosa que puso en el "Siete leguas", ahí donde dice: "En la estación de Irapuato / cantaban los horizontes"?

—Ay, don Alfonso, Los Horizontes era un trío de cancioneros que estaba ahí en la estación.

Don Alfonso contaba que se indignó, cogió su boina vasca, se la puso y se fue, y no volvió a ver a *La Bandida*.

Teníamos un gran amigo americano, aquí en México, Marcus Goodrich, que era colaborador en las adaptaciones cinematográficas y quien, al mismo tiempo que hacía las adaptaciones, estaba escribiendo un libro que quería editar. Trabajó en muchas películas como adaptador, y vivía bien de eso, se daba una buena vida. Tenía una casa en Tlalpan muy agradable. Un buen día, en su casa, dio una cena para despedirse de todos sus amigos, porque se regresaba a Estados Unidos. En ese entonces, Emilio Fernández estaba enamorado de Olivia de Havilland. No la conocía personalmente, pero se había enamorado de ella en la pantalla. Entonces, por esa cosa romántica de Emilio, cada vez que alguien decía: "Voy a Hollywood", él le mandaba un regalo a Olivia de Havilland, daba la dirección y le llevaban el regalo, ella lo recibía y creo que nunca le contestaba, ni le daba las gracias, ni lo conocía, nada.

Entonces, aquel día que Goodrich se despidió para regresar a Estados Unidos, le dice Emilio:

—Llévale un regalo a Olivia de Havilland.

—Cómo no, con todo gusto.

—Mira, ésta es la dirección. Le llevas este precioso rebozo blanco de seda y se lo entregas en propia mano...

Entre grandes abrazos, y con mucha pena por su partida, porque lo queríamos mucho, se fue Goodrich. Llega a Hollywood, se dedica a lo suyo, a su novela, que tituló *Delilah*, que era el nombre del acorazado en el que combatió durante la guerra. Se imprime el libro y se convierte en un *best-seller*. Entonces Goodrich empieza a hacer realmente un gran negocio con su libro y a hacerse famoso, y en ese momento recuerda que se había olvidado de llevarle a Olivia de Havilland el regalo de Emilio Fernández. Va a casa de Olivia, toca, se anuncia:

—¿Quién es?

—Soy Marcus Goodrich. No conozco a la señora de Havilland, pero le traigo un regalo de México y tengo que entregárselo personalmente.

Entonces, como su nombre ya era famoso por el libro, Olivia de Havilland lo pasó a la sala y de allí pasaron, creo yo, a la recámara, pues poco tiempo después se casaron.

Emilio se puso frenético, incluso quería mandarle una bomba de reloj a Marcus Goodrich. La aventura termina con el nombre de la calle en la que Emilio construyó su casa, una calle nueva que abrieron entonces y que se llama, todavía hasta la fecha, Dulce Oliva —no Dulce Olivia, pero desde luego sí por Olivia de Havilland.

Una de las personas que frecuenté fue María Félix. La había descubierto el ingeniero Fernando Palacios, una persona muy agradable a la que le decían *El Mudo*, porque hablaba un poco más que yo. Le hice sus primeras pruebas y salió muy bella, como era; más tarde le dieron varias películas hasta que filmó *Doña Bárbara*, que la hizo inmensamente popular. La fotografía fue del maestro Alex Phillips; la realizaron más o menos al mismo tiempo en que yo estaba haciendo *Flor silvestre* con Dolores del Río. María y yo trabajamos juntos más tarde en *Enamorada* (1946), que hicimos en Cholula, en unas locaciones muy bonitas.

El maestro Agustín Lara iba a visitarla muy seguido, porque andaban con cierto disgusto, y siempre llegaba con un ramo de flores como de dos metros de alto, muy exagerado. Naturalmente, yo no lo dejaba pasar, le quitaba la tarjeta de Agustín Lara y le ponía la mía, aunque, por supuesto, ella sabía quién enviaba las flores. Como se habían peleado, casi no se hablaban, y todos los días cenábamos juntos con Emilio Fernández.

Para hacer rabiar a Emilio, un día compré un montón de revistas y puse en mi cuarto todos los retratos de María Félix que encontré. Cuando Emilio las vio, se rió ("¡Qué desgraciado!") y luego bajamos a cenar. De pronto llegó el maestro Lara, a quien no esperábamos, y lo invitamos a sentarse a la mesa. Emilio comenzó a decir:

—Después vamos al cuarto de Gabriel, porque quiero enseñarte unas cosas que tiene allí, unas cosas que quiero que veas.

El maestro Lara era muy solemne, y con toda seriedad contestó:

—Allá iremos.

En cuanto pude, corrí y quité aquellas fotografías, porque no sabía qué sentido del humor podía tener y cómo tomaría el asunto.

Recuerdo que en una ocasión, para celebrar un santo de María, Lara mandó poner una lona en su casa, un estrado, toda su orquesta, en fin, creó una especie de cabaret para festejarla. Era muy bueno para organizar cosas. Él dirigía la orquesta, todo el mundo bailaba, era una fiesta muy agradable, todos muy gentes. De repente llegó el maestro Lara a la mesa donde estábamos Pedro Armendáriz y yo:

—¡Perico! ¡Maestro! —a Pedro le decía "Perico" y a mí, "Maestro"—. Amigos, les voy a ofrecer una copa de lo último que me queda de París.

Se trajo una botella de ajenjo de las auténticas y no sé cómo salimos de ahí porque realmente es una bebida muy fuerte.

En otra ocasión, la Cruz Roja había invitado a María a un agasajo en El Patio. Ella aceptó con la condición de que la acompañara alguien, y desde luego el indicado era yo, que era ajonjolí de todos los moles, porque como era soltero siempre me jalaban a todas partes. María acababa de tener un disgusto con el maestro Lara, le había empacado toda su ropa y se la había mandado al teatro.

En esa época estábamos filmando *Río Escondido*. Las primeras escenas eran dentro de Palacio Nacional. María se estaba maquillando cuando, de repente, Agustín Lara le tiró un balazo por una ventana. Llegó y no le contó a nadie lo que había ocurrido. Estaba llorando. La saludé y le hice saber que la escena no requería lágrimas; me comentó que llegaba disgustada. Entonces le prometí que le regalaría una corona. Era su primera escena, la corona era un maravilloso candil de Palacio que en la composición le puse en la cabeza. Esta película es una de mis mejores, en 1948 ganó el premio de fotografía en el festival Karlovy-Vary, en Checoslovaquia.

La prensa se le había echado encima a María en una forma salvaje, sobre todo dos personas muy conocidas: Agustín Barrios Gómez y Carlos Denegri, que fueron contratados por Agustín Lara para matar dos pájaros de un tiro: pegarle un poco a ella y hacerle publicidad. La atacaron de manera muy baja y fea durante varios días, por lo que María no dejaba entrar a ningún periodista a su casa. Armando Valdespesa, que era íntimo amigo suyo, y yo íbamos todas las noches a visitarla, porque estaba sola y muy triste. Una noche, Fernando Morales Ortiz, que ha sido siempre un caballero, me dijo que era preferible contestar alguna cosa en nombre de María, pues de lo contrario los ataques continuarían por mucho tiempo. Se brindó a ayudarla sin ningún interés económico ni de ninguna especie, y ella aceptó. Hubo gran expectación entre el público cuando se supo que María Félix había concedido una entrevista, en la que seguramente respondería a los ataques recibidos.

—María, usted ha leído lo que ha estado diciendo la prensa, seguramente.

—Sí, algo he leído.

—¿Y qué piensa usted?

—Que nada de eso es cierto, porque Agustín Lara es un caballero y es incapaz de decir nada de lo que hay ahí. Todo ha sido inventado por esos dos señores.

Desde luego el maestro Lara les dijo que ya no publicaran nada más, pues él era un caballero y como tal lo tenían. Si alguna esperanza tenía de regresar con ella, fue vana. Ése fue el final para siempre, la caída del telón de ese romance.

El día de la fiesta de la Cruz Roja llegamos Fernando Morales Ortiz y yo a recoger a María. Ahí estaba Armando Valdespesa y nos pusimos a platicar mientras la esperábamos, acompañados de una botella de coñac que nos había mandado. Al fin bajó con un traje florido, muy sencillo, de casa, y el peinado normalísimo de todos los días. Me extrañó, pero no quise decir nada, pero al rato vi que ya eran las doce de la noche y le pregunté si no se iba a cambiar.

—¿A cambiar?, ¿para qué?

—Hoy es lo de la Cruz Roja.

—¡Lo de la Cruz Roja! No, no voy a ir. En el estado de ánimo en el que estoy, ¿tú crees que estoy para ir a sonreír? No puedo hacerlo.

—Bueno, entonces voy a pedir una disculpa en tu nombre.

Nos acompañó a la puerta y a la hora de despedirme, le dije:

—María, ¡de lo que te vas a perder! Mira, te voy a dedicar el primer danzón.

—No me hables de eso. Encantada iría a bailar un danzón contigo, pero no al Patio. Si me llevas a otro lado, sí.

—¡Juega!

Hicimos un recorrido por todos los cabaretuchos que había en México, y las ficheras le aplaudían cuando entraba. Acabamos en el Salón México, donde el gran Acerina, rey del danzón, le dedicó una pieza y nos paramos a bailarla. Todas las muchachas de ahí nos hicieron rueda.

Cuando salimos ya era tardísimo, y nos fuimos a un lugar que se llamaba Las Mil y Una Noches, por Fray Servando Teresa de Mier. Era un sitio con piano, violín y contrabajo, donde tocaban valses, pero no se bailaba, sólo se escuchaba la música y había ficheras que atendían en las llamadas caballerizas. Pasó una de esas muchachas con una flor en la cabeza y se quedó viendo a María con los brazos en jarras, con una cierta sonrisa, no se sabía muy bien si de burla, de reto o de qué. María le sostuvo la mirada, y nosotros no sabíamos qué hacer: ésa sí es una situación muy difícil de manejar para un hombre. No era disgusto, nada más la pura mirada... De repente, la chica rompió el silencio, se puso la mano en la cabeza, se quitó la flor y le dijo:

—Realmente qué hermosa es usted, señora. Permítame que le regale esta flor.

Así terminó la noche. Dimos las gracias a la Cruz Roja por habernos dado el pretexto. María lo disfrutó, porque realmente no conocía ese ambiente. En verdad lo gozó.

María es muy curiosa, muy simpática. Como buena sonorense tiene sus cosas. Un día la invitaron a una comida del Banco Cinematográfico, cuyo director era don Andrés Serra Rojas. Ella le dijo que si no la acompañaba yo, no iba, así que fui con ella encantado. Durante la comida, el licenciado Serra Rojas, que era un poco solemne, le dijo a María:

—Señora, ¿cuándo vamos a gozar de alguna interpretación suya sobre algún personaje de la historia de México?

María no sabía ni de qué le estaba hablando, así que contestó:

—Licenciado, no sé a qué se refiere.

—Sí, me refiero a que usted interprete a la mujer mexicana...

—¿Cómo quién, licenciado?

—Pues no sé... a mí me parecería que a doña Josefa Ortiz de Domínguez...

A María se le vino la imagen de la estatua de bronce que está frente a la Escuela de Medicina y se volteó muy seria:

—¡Ay, licenciado! ¿Con chongo de fierro y todo?

En una ocasión llegó un aviso de Hollywood preguntando si quería yo fotografiar una película que iba a dirigir, a partir de la famosa obra *Cagliostro*, un director de Hollywood llamado Gregory Ratoff, de origen ruso. Acepté y el señor Ratoff vino a México a hablar conmigo. Llamó personalmente a mi número, y dio la casualidad de que yo tomé el teléfono. Entonces me dijo, en inglés:

—Busco al señor Gabriel Figueroa. Soy Gregory Ratoff —tenía una voz de actor muy pastosa.

—Pues soy yo, señor Ratoff.

—Bueno, vengo a hablar con usted y tenemos la lectura de la obra que vamos a hacer. Estoy en el hotel Reforma. Que tal si nos vemos hoy a las siete de la noche allí y hablamos de la obra.

—Me parece muy bien.

A las siete de la noche llegué al bar del hotel Reforma y le pregunté al capitán por el señor Ratoff.

—Está allí, con unos amigos —me dijo.

Me acerqué a la "caballeriza" que me indicó y, efectivamente, allí estaba Ratoff sentado con algunos actores, entre ellos Humphrey Bogart, porque era la misma época en que filmaron *El tesoro de la Sierra Madre* (1948), de John Huston. Blumenthal, quien siempre nos atendía en el Ciro's del hotel Reforma, me presentó con el señor Ratoff:

—Éste es el señor Figueroa.

El señor Ratoff se puso de pie.

—Mucho gusto.

Mientras me presentaba con quienes que estaban allí, me dijo:

—Siéntese a tomar una copa.

—Cómo no.

Y haciéndole una broma al señor Ratoff, Humphrey Bogart se me quedó viendo y me preguntó:

—Dígame una cosa, señor Figueroa, ¿usted realmente entiende bien el inglés que habla el señor Ratoff?

—Fíjese que mejor que el de usted.

Hubo una carcajada general porque todos creyeron que estaba haciendo un chiste. Aclaré:

—Bueno, no estoy haciendo un chiste. En verdad lo entiendo mejor a él que a usted, que lo habla perfectamente bien y que es un gran actor, pero es que aprendí el inglés con un ruso, y por eso me es más familiar su acento que el acento americano.

Todos rieron de nuevo y allí acabó todo.

Más tarde fuimos a la suite presidencial que él tenía allí —con varias secretarias, mucha comida y mucha bebida, a la rusa— y leímos la obra. Pero la película no se pudo hacer porque era muy difícil recrear en México el ambiente que requería, con los camellos, elefantes y todo lo que suponía filmar *Cagliostro*. Ese ambiente oriental es imposible en México y se canceló el asunto.

En los años cuarenta la industria cinematográfica mexicana tuvo su mejor momento. Varios factores intervinieron: en 1943 se creó el Banco Nacional Cinematográfico; en 1945 se inauguraron los Estudios Churubusco de la RKO y Emilio Azcárraga, y ese mismo año se fundó el Sindicato de Trabajadores de la Producción Cinematográfica de la República Mexicana.

Poco tiempo después se crearon diferentes distribuidoras como Películas Mexicanas y Películas Nacionales para México; así como las cadenas de exhibición Cadena de Oro y Operadora de Teatros de don Guillermo Jenkins, dirigidas por don Manuel Espinoza y Gabriel Alarcón y William Karol, quien manejaba el material en Europa.

Debemos agregar el carisma de nuestras estrellas: María Félix, Mario Moreno *Cantinflas*, Dolores del Río, Arturo de Córdova, Pedro Armendáriz, Pedro Infante, Jorge Negrete, la familia Soler, Katy Jurado, Columba Domínguez,

Joaquín Pardavé, María Elena Marqués, Blanca Estela Pavón, Roberto Cañedo, y algunas otras más.

Así como los directores Fernando de Fuentes, Juan Bustillo Oro, *Chano* Urueta, Julio Bracho, Emilio Fernández, Miguel Zacarías, Roberto Gavaldón, Ismael Rodríguez, Gilberto Martínez Solares, Miguel Delgado y don Luis Buñuel, quien le diera al cine mexicano otra dimensión.

Y los escritores Mauricio Magdaleno, Juan Bustillo Oro, Juan Rulfo, Rómulo Gallegos, Bruno Traven, Humberto *El Vate* Gómez Landero, Max Aub, Luis y Janet Alcoriza, Hugo Argüelles, Emilio Carballido, Julio Alejandro, Jesús Cárdenas, Jorge Ferretis, Edmundo Báez...

CAPÍTULO IV. HOLLYWOOD

Entre las cartas de recomendación que llevé a Hollywood, había una para Gregg Toland, uno de los mejores fotógrafos de cine. Trabajaba en los estudios de Sam Goldwyn y posteriormente fotografió *Ciudadano Kane*. Era muy inquieto, siempre estaba inventando aparatos y técnicas que ayudaran a desarrollar el arte cinematográfico. Probó el *pan-focus*, los escenarios de tamaño natural y varios adelantos más. Me aceptó como discípulo y lo acompañé durante la filmación de una película. Más tarde volvía a Hollywood cada vez que tenía oportunidad para, aunque fuera dos o tres días, verlo trabajar. Él, por su parte, me avisaba siempre que tenía una novedad interesante. Me tomó un gran cariño; creo que vio algo en mí que yo, hasta la fecha, no he visto.

Toland era el fotógrafo de John Ford, quien era considerado el mejor director del mundo: había ganado tres Oscar en una década. Dirigió *La diligencia*, un western que ha pasado a la historia; *Las uvas de la ira*, de Steinbeck, y *Qué verde era mi valle*, *The Long Voyage Home*, de O'Neill; también tenía el proyecto de hacer una película basada en una novela de Graham Greene, una historia sobre los camisas rojas de Garrido Canabal que sucedía en Tabasco. Como de costumbre, en esta obra Greene ponía a México barrido y regado, pues siempre ha detestado este país. Ford llamó a Toland y le propuso venir a México a filmar la película.

De inmediato, Toland me escribió pidiéndome que no me comprometiera con nadie más para la fecha en que ellos vendrían a México, pues necesitaban en su equipo a alguien que manejara la plástica mexicana, como yo. Quería hacer algo sólido, auténticamente mexicano, y sabía que yo conocía el ambiente mejor que él. Le contesté que encantado de la vida dejaría cualquier cosa por trabajar con él, y fijamos fecha.

Por desgracia, Toland había firmado un contrato por diez años con Sam Goldwyn y no pudo venir a México a pesar del interés que tenía por hacer esa película. Ford lo sintió muchísimo y le pidió que le recomendara a alguno de sus conocidos en Hollywood, alguien con el suficiente talento como para reemplazarlo. Toland le dijo que no tenía que llevarse a nadie de allá, pues vivía en México un discípulo suyo que podía hacer el trabajo con más fuerza que él. Como Ford no había visto ninguna de mis películas ni conocía mi estilo, mandó a su socio, Mr. Cooper, a hablar conmigo.

Cooper era un productor de mucha experiencia, había dirigido y producido la primera versión de *King Kong*. Llegó cuando estábamos haciendo *Enamorada* (1946), con María Félix, exactamente el día que regresamos al foro Churubusco después de dos semanas de trabajo en Puebla. Cooper se presentó sin hablar de las razones que lo llevaban allí para no comprometerse a nada. Pasó todo aquel día en el set, viéndome trabajar, y por la noche lo invitamos a ver las pruebas del día anterior. Había sido un día de trabajo muy intenso, así que vimos cinco o seis rollos de *rushes* de lo de Puebla, bastante buenos: días misteriosos con excelentes nubes, un cielo precioso, las sombras gigantes de los soldados. El sistema con *El Indio* Fernández era que él pedía un *set up* y yo ponía la cámara donde quería y le hacía la composición. En esto se fijó el señor Cooper, quien quedó impresionado con la calidad y se asombró aún más al saber que todo se había hecho en un día y una noche; le platicó a Ford, que de inmediato aceptó mi estilo y me contrató.

El señor Ford pidió que lo acompañáramos a buscar locaciones para la película. Le habían recomendado Tlacotalpan, así es que fuimos por Veracruz y de allí a Alvarado, para lo cual se alquiló un camión de pasajeros, aunque sólo íbamos cinco personas. Salió el camión a las siete de la mañana e hizo varias paradas bruscas para que subieran amigos del chofer, que iban de cacería y pesca. El camión se llenó y, ya en el camino, venía el balanceo. El chofer paraba el camión, ponía el freno de mano, y los "invitados" disparaban sus rifles por las ventanillas para cazar aves.

El señor Ford, con la pipa en los labios y su gorra de beisbol, volteaba a verme. Por fin me llamó: "¿Qué es esto?", preguntó. Le respondí: "Mire usted, en todo el mundo sólo hay un pueblo libre, que se llama Veracruz, donde la gente hace lo que quiere, siempre con gracia, pero lo que quiere... Estas personas son amigos del chofer, quien los invitó puesto que el camión iría vacío... y van de picnic."

"Well", me contestó el señor Ford, "estaba pensando en la invasión americana, por qué ganaron los mexicanos...

si los soldados mexicanos eran tan malos tiradores como éstos…"

De regreso a la ciudad de México, le presentamos a nuestro equipo: Emilio Fernández, a quien le pidió lo ayudara, Íñigo de Martino y yo. Inmediatamente buscamos más locaciones: Veracruz, el fuerte de Perote, Cuernavaca, Taxco, etc. Quedó fascinado por tanta belleza plástica. Ordenó los escenarios en el Estudio Churubusco y, una vez terminados, empezó el rodaje de interiores: el despacho del jefe de la policía, el interior de la iglesia principal, etc. Me llamó y me dio las primeras instrucciones: "Comenzaremos con un *long shot* para establecer la oficina del jefe policiaco. Es de día; escoge el mejor ángulo y mañana rodamos". A la mañana siguiente, cuando llegó el señor Ford, todo estaba listo, iluminado, la cámara en su sitio.

"Buenos días", dijo. "Buenos días, señor Ford". Me vio y recalcó: "Llámame Jack". Se sentó y le dije que todo estaba preparado, que si quería checar el ángulo de la cámara. Me contestó: "No, yo sólo soy el director, no te tengo que checar nada a ti… pero dime, ¿qué lente pusiste?" "El cuatente", respondí. "Bueno… estás cortando acá y acá y allá, exacto", esto, aun con toda mi experiencia actual, no podría precisarlo. Más tarde sólo me hacía la indicación de tamaño que deseaba tener, nunca se asomó en la cámara ni veía *rushes*. ¡Vaya experiencia!

Ese primer día de rodaje pidió disculpas a todos, especialmente a los actores, porque tendría que empezar por el final de la obra sabiendo que todavía nadie tenía idea de cómo iba a ser manejada su parte. Terminamos el día dos horas antes de lo proyectado y quiso hacer algo de trabajo del día siguiente en el interior de la iglesia. Me pidió poner la cámara en un ángulo en el nivel del piso, en un *full shot* sin ningún movimiento, fija para poder registrar la entrada de las personas a misa. Rodamos como dos mil pies.

Al día siguiente me pidió un *long shot* de toda la iglesia desde el altar. "Es importante", dijo. Fijamos la cámara y comencé la iluminación. El señor Ford estaba sentado junto a la cámara. En ese momento se me ocurrió cambiar por completo la iluminación del día anterior, es decir, con un contraluz muy fuerte desde atrás de la puerta de la iglesia, poca luz lateral y algo de humo, de manera que las figuras, con los rebozos negros y la vela encendida en la mano, daban un efecto mágico al caminar, desplazándose de manera muy dramática y bella. Pedí un ensayo y, al terminar, traté de explicarle al señor Ford, pero no me dejó ni empezar la explicación... "Ya sé que esto no iguala a la iluminación de ayer", dijo, "pero es tan buena la idea que lo que hicimos ayer lo tiramos a la basura. *Go ahead! This is great*!" Sabía mucho de iluminación.

La película se llamó *The Fugitive* (1947) y en ella actuaban Henry Fonda, John Carol Nash, Pedro Armendáriz, Dolores del Río y Leo Carrillo. El *Red Book Magazine* la consideró como lo más sobresaliente del año. Dieron una gran fiesta en Hollywood y Emilio Fernández y yo fuimos invitados. Estaban presentes el director Frank Capra, Walter Pidgeon, Gregory Peck, Lauren Bacall, entre otros.

Al día siguiente, el señor Ford nos invitó a cenar a su casa, solos... ¡Ah no, solos no! Le pedimos que invitara a Maurine O'Hara, que nos gustaría conocerla. La invitó y fue una bonita reunión. Esto demuestra el afecto que nos dispensaba a Emilio Fernández y a mí, así como a Pedro Armendáriz.

Cuando terminamos la película, la compañía Argosy, del señor Ford, me firmó un contrato por tres años. Desafortunadamente cuando me llamaron de Hollywood para la primera película, el sindicato de Richard Walsh, la IATSE (The International Alliance of Theatrical Stage Employees, Moving Picture Technicians, Artists and Allied Crafts) me negó el permiso de trabajo. En 1949, en Estados Unidos, estaba la persecución macartista y se había dado el escándalo de los Hollywood Ten. Hubo que liquidar el contrato. Lástima...

Años después, llamé al señor Ford para saludarlo. Estaba filmando *Pinkie* en la Fox; me invitó al foro y me citó a las nueve en punto. Fui, pasaron dos horas y el señor Ford no llegaba, mientras frente a mí se paseaba como león el gerente del estudio, Darryl Zanuck. Ford llegó por fin caminando con dificultad, ayudado con un bastón, me saludó y me presentó con el señor Zanuck. Me dijo que tenía un ataque de ciática y no iba a trabajar, que su chofer me llevaría a donde yo quisiera y me esperaba a cenar en su habitación por la noche. Cuando cenamos, le expresé mi pena por su mal y por suspender el trabajo. "¿Por cuánto tiempo?", le pregunté. "No —me dijo—, ya estoy fuera, mañana entra Elia Kazan a la película". ("Qué falta de respeto", pensé, pero así es Hollywood.)

La última vez que vi al señor Ford fue en ocasión de la nominación al Oscar de *The Night of the Iguana* (1965) por la mejor fotografía. Me invitó al foro de la MGM, donde estaba dirigiendo *Seven Women*, y mandó por mí para estar en punto de las tres de la tarde. Cuando llegué, tenía dentro del set una separación con biombos, con una mesa larga y servicio de té. Se sentó en la cabecera y a mí en el otro extremo, y compartimos la mesa con las siete actrices de su película: Anne Bancroft, Sue Lyon, Margaret Leighton, Flora Robson, Betty Field, Ann Lee y Mildred Durock. La tarde pasaba entre cuentos, chistes, anécdotas y yo me sentía mortificado por el tiempo. Le dije: "Te van a correr y a mí también, vete a trabajar..." "No —me respondió—, esto y más te mereces..." Al rato le informaron que ya estaba todo listo, nos levantamos, pidió una silla para mí junto a él, se tomó la escena, cortó y me dijo: "Ahora vamos a casa a cenar". Cuando le pregunté si había visto *The Night of the Iguana*, me contestó que sí, y agregó: "I did not see you there..."

John Ford tenía un gran corazón. En enormes terrenos que había comprado, creó granjas para obsequiarlas a los actores necesitados. Él sostenía el gasto. ¿Hay algo más aparte de esto?

Con frencuencia, iba yo a Hollywood a ver trabajar al maestro Toland y a seguir adquiriendo conocimientos. En uno de esos viajes coincidí con Gilberto Martínez Solares y con Arturo de Córdova, que era muy amigo mío y tenía un contrato con la Paramount. Como íbamos a permanecer un tiempo, decidimos tomar un departamento para que nos saliera un poco más barata la estancia, no tanto por Arturo, sino por Gilberto y por mí. Alquilamos un bonito apartamento y nos veíamos a la hora de las comidas y por las noches.

Un día nos cruzamos en el elevador con una muchacha sensacional, una *starlet* de Hollywood. Arturo le echó el ojo inmediatamente y empezó a platicar con ella, deslizando comentarios sobre sus relaciones con los productores y ofreciéndose a ayudarla. La muchacha se hizo nuestra amiga y la invitamos a acompañarnos al mejor *night-club*: El Mocambo. Ella aceptó inmediatamente y quedamos en pasar por ella el sábado.

Al filo de la mañana sonó el teléfono. Era Carmen Miranda, la brasileña, una estrella simpatiquísima. Carmen era muy bajita y siempre se ponía un gorro raro para verse un poco más alta.

—Arturo, nos invitó a nadar, tráete a tus amigos. Tomamos la copa, nadamos un rato, comemos aquí.

—¿Ustedes qué dicen? —nos preguntó Arturo—. Yo sólo voy por la curiosidad de ver si nada con esa especie de gorro que se pone.

Tenía una casa formidable, con una alberca preciosa. Empezamos a nadar y las copas a circular con singular tesón. Apenas picamos la comida, pero seguimos bebiendo; a Arturo, cuando tomaba, no había quién lo parara, así que tras una amena tarde nos fuimos al Mocambo. En la orquesta estaba Eddy Le Baron, un muchacho que Gilberto había conocido en un viaje anterior, y que de guitarrista había llegado a director de la orquesta de aquel *night-club*. Arturo lo mandó llamar para saludarlo y Le Baron apareció con un traje exagerado (el latino siempre trata de poner su sello en todo), con colas que le llegaban a los tobillos y un gran crisantemo en el ojal. Llegó a la mesa y empezaron los saludos:

—Eddy, mira a quién te tengo aquí —le dijo Arturo.

Se quedó mirando a Gilberto y al reconocerlo le dio un abrazo y una palmada con gran efusividad.

—Pero, Gilberto, ¡qué viejo estás!

Gilberto se molestó:

—Y tú, ¿qué haces vestido de payaso?

Eddy se dio media vuelta y se fue, pero le había prometido a Carmen tocar algo latino para bailar, así que anunciaron una huaracha dedicada a Carmen Miranda. Todo el mundo aplaudió, ella agradeció el aplauso, se levantó y se me quedó viendo:

—Tú tienes que ser el mejor bailarín de todos. Vamos.

Efectivamente, yo bailaba bastante bien las huarachas y los sones, siempre me han gustado y tengo ritmo. Así que salimos a bailar y aquello fue de exhibición, porque los americanos se hicieron a un lado y formaron rueda. Salimos muy alegres, tardísimo, y regresamos a la casa.

Al entrar, la primera imagen que se nos presentó fue la de la muchacha que habíamos dejado plantada. Pensamos en inventarle cualquier excusa cuando volviéramos a verla y nos metimos al departamento.

Gilberto no había tomado nada y nos ofreció unas cervezas que tenía en el refrigerador. Cuando estábamos en la primera cerveza llamaron a la puerta: era la chica ésta, preciosa, se había ido a peinar y traía un traje blanco extraordinario. Nos dijo hasta la despedida. Arturo intentó convencerla de que nos perdonara, pero ella vio el cuete que traíamos y se enojó aún más.

—Lo que más rabia me da es que mi gato no ha comido. No he podido salir a comprarle leche por si ustedes llamaban por teléfono. Eso es lo que más siento, porque el no haber ido con ustedes, tan responsables…

—Ah, ¿ése es el problema? Aquí tenemos leche —contestó Arturo.

Subió rápidamente a su departamento y bajó con un gato siamés soberbio. Gilberto, tan gentil como ha sido siempre, sacó un plato, le sirvió leche al gato y éste la devoró, quiso más y siguió comiendo hasta quedar satisfecho. Nosotros platicábamos, tomando cervezas, mientras Gilberto se levantaba a traernos amablemente lo que hiciera falta. El gato estaba feliz con él, le saltaba a las piernas, Gilberto le pasaba la mano y el gato se ondulaba como se ondulan todos los gatos cuando los acarician. En una de ésas, mientras Gilberto iba por más cervezas, Arturo, que como buen actor sabía hacer bromas, le dijo a la muchacha:

—Fíjate bien en nuestro amigo Gilberto, es un ser extraño. Lo queremos mucho, es gran amigo nuestro, pero no le gustan ni las mujeres ni los hombres, le gustan los animales. Ve qué cara hace cuando acaricia al gato.

Le metió tanto la idea en la cabeza, que la chica empezó a sentir una verdadera angustia. Se levantó, le arrebató el gato a Gilberto, gritó: "Son ustedes unos degenerados", y salió corriendo después de mandarnos "quién sabe a dónde". Cuando Gilberto se enteró, quería matar a Arturo.

En otro de mis viajes, durante la guerra, llegué a Hollywood a seguir estudiando y me habló Paul Kohner, representante de actores que tenía una oficina y conocía a todo el mundo. Estaba casado con Lupita Tovar, una actriz mexicana que había trabajado en *Santa*, la primera película sonora que se hizo en México. Paul siempre era muy gentil conmigo y aquella vez me llamó para invitarme a cenar con ellos la noche siguiente. Al otro día sonó el teléfono como a las cinco de la tarde: era Paul que quería disculparse, pues les había salido un compromiso ineludible con el actor Erich von Stroheim. Le dije que no se preocupara, pero como a las seis me volvió a llamar para decirme que yo también estaba invitado. Yo me resistía: ni siquiera conocía a Von Stroheim y además sentía un cierto "aviso", esos "fluidos magnéticos" que existen por ahí.

No me gustaba el señor por aquello del monóculo y su impertinencia; una cuestión de personalidades que chocan. Pero pensé que eso era lo que proyectaba en sus papeles en el cine, que quizá en la vida privada era una gente amable, así que acepté ir con ellos al Mocambo. Tomamos una copas en la cantina y me presentaron con él. Luego vino la cena y nos pasaron a una mesa grande, con él en la cabecera. Había llegado con dos mujeres muy bonitas (después supe que a todas las fiestas llegaba con dos o tres mujeres porque quería presumir de muy macho alemán). Las sentó junto a él, luego seguía Paul Kohner, frente a mí, después otra persona que no recuerdo y a mi lado Natalie Wyler, la esposa de William Wyler, el gran director que estaba en el frente. En muchas ocasiones Natalie era mi compañera, pues era buena amiga de los Kohner y una persona muy agradable con quien me dio mucho gusto platicar aquella noche. Todo marchaba muy bien hasta que se suscitó un pequeño problema. En voz alta, de modo que lo oyeran todos, en medio de un silencio, Von Stroheim preguntó:

—¿Es usted mexicano?

—Sí, señor Von Stroheim, soy mexicano.

—Pues fíjese que su país no lo conozco, pero tengo gran interés en conocerlo.

—Le aseguro que le va a gustar. Es un país muy hermoso. Si va usted allá comuníquese con Paul Kohner, a mí me daría mucho gusto atenderlo. Le puedo hacer alguna reservación, puedo llevarlo, dependiendo de su interés, a ver zonas arqueológicas o la arquitectura colonial, digamos, o a visitar haciendas. Hay varias cosas que le gustarían. Yo lo puedo llevar. Conozco mi país muy bien.

—Ah, pues muchas gracias, pero no. ¿Sabe?, las cosas que usted ha mencionado no me interesan. Primero contésteme una pregunta: ¿a qué edad las mujeres son consideradas mayores de edad en México?

Ahí empecé a sospechar algo:

—Fíjese que no lo sé. El hombre, desde luego, a los veintiuno, pero la mujer no sé, me parece que a los dieciocho.

—Le hago esta pregunta porque lo que me interesa es que me ayude usted a conectarme con jovencitas de catorce años, a mí me gustan de esa edad.

Sentí como si me hubieran dado una cachetada. Von Stroheim seguía en la cabecera, sudando impertinencia y majadería. Rápido como el rayo, le contesté:

—Perdóneme, señor, usted escucha mi mal inglés y para entenderle es peor. No he entendido una cosa de lo que usted me está hablando: ¿usted está interesado por muchachas o por muchachos?

Fue como una bomba. No supo qué hacer ni qué decir, se puso rojo mientras los demás hacían buches de risa. En ese momento Natalie interrumpió y me recordó que le había pedido una pieza para bailar. Me jaló, prácticamente me arrastró a la pista de baile. Ya en ella me dijo que merecía un abrazo y un beso, porque era la primera vez que alguien ponía a ese majadero en su lugar.

Poco después de terminada la guerra viajé de nuevo a Hollywood, invitado por mi maestro Gregg Toland, que estaba haciendo una película muy interesante en materia de fotografía. Me avisó que tenía unos sets especiales, porque por primera vez allí eran de tamaño natural, es decir que, por ejemplo, filmaban en un baño de tamaño natural, donde no cabía ni la cámara. Y este experimento que estaban haciendo les había dado muy buenos resultados. La película se llamaba *The Best Years of Our Lives* (1946), protagonizada por Fredric March y dirigida nada menos que por mi amigo William Wyler.

Llegué allá y empecé a estudiar aquellos sets. Todos los días iba al set como invitado y todos los días Fredric March me gastaba la misma broma. Decían: "Silencio, va a hacerse la toma". Todo el mundo guardaba silencio y, en ese momento, se oía la voz fuerte de Fredric March que decía:

—*Are you ready, Mr. Figueroa*?

A mí me mortificaba, yo quería salir corriendo de allí, por la pena de estar interrumpiendo, todos se reían pero volvían a empezar a trabajar.

En otra ocasión llegamos a Hollywood varios amigos: Lalo Quevedo, Kroger, un ingeniero de sonido muy amigo mío, Nacho Torres y yo. Cada quien viajaba, por supuesto, con sus propios contactos y sus propios planes. Lalo Quevedo iba invitado por las chicas Jenkins, las hijas de don Guillermo Jenkins, el magnate que fue dueño del Banco de Comercio y de las cadenas de cine. Según contaban sus hijas, llegó a México con cincuenta y cinco dólares en la bolsa por todo capital y llegó a amasar fortunas. La primera, según tengo entendido, la hizo durante una de las devaluaciones de Miguel Alemán. Le avisaron que venía una devaluación, porque poseía trescientos cincuenta millones de acciones de Nacional Financiera, y le avisaron muy a tiempo. Eso no me consta, pero se rumoraba. Lo que sí me consta eran sus formidables cadenas de cines, que manejaba, una, Manuel Espinoza Iglesias y, la otra, Gabriel Alarcón.

Cuando llegamos a Hollywood fuimos a dejar a Lalo Quevedo a casa de las Jenkins, una de las mansiones más fabulosas que he conocido en mi vida. La construyó Doheny, el petrolero dueño de Cerro Azul, en Tampico. Abarcaba toda una loma. Se entraba por una reja eléctrica sobre un camino pavimentado que llevaba hasta la primera parte de la loma y en todo el recorrido no se veía nada más que jardín. Tenía canchas de tenis y frontenis, salas de teatro y cine... Al llegar al piso principal, tenía un garage cubierto como para cincuenta coches con una bomba de gasolina ahí atrasito. Luego entraba uno a la casa, donde había una biblioteca gótica inglesa que era una preciosidad. Seguía uno subiendo en coche hasta arriba, a las habitaciones de los invitados. He viajado bastante y he visitado muchos lugares, pero nunca he visto una casa de esa magnitud. Ahora es una academia cinematográfica.

Las chicas Jenkins nos recibieron amablemente; yo ya las conocía de México. Me invitaron a quedarme también, junto con Lalo, pero les expliqué que había parado en el hotel Roosevelt porque estaba cerca del estudio donde iba a trabajar. "Cuando menos tómate una copa", dijeron, y estuvimos un rato platicando. Cuando llegó la hora de despedirnos, me comunicaron que ya habían mandado traer mis cosas del hotel y que estaban en el cuarto de invitados. No pude negarme más y me quedé. Teníamos dos mozos de saco blanco que nos atendían, cuidando que siempre tuviéramos cigarros y whisky.

Lalo y yo quisimos corresponder a la amabilidad de las chicas Jenkins y las invitamos al Earl Carroll, que era el mejor lugar que había, con foro y variedad. Las mesas más caras eran las que estaban cerca del foro y, como queríamos quedar bien, tomamos una. Fuimos con tres de las chicas Jenkins; era viernes. De regreso, Maggie me pidió que manejara; traían un Cadillac con la capota bajada. Veníamos por el boulevard, pero me pasé dos altos y de inmediato me alcanzó un motociclista y me pidió la licencia. Le di mi licencia mexicana, me entregó la boleta de la infracción y, en ese momento, Maggie le dijo que era invitado especial de Los Ángeles. El agente se disculpó: "Si me lo hubiera dicho, no pasa nada", y me indicó que fuera a la oficina de policía a explicar todo y así se arreglaba el incidente sin necesidad de pagar un centavo.

Al día siguiente fui con Lalo a pagar la multa, pues no quería tener ningún problema con la policía, especialmente porque sabía la clase de líos que tienen los mexicanos en California. Llegamos a la oficina de tránsito a la una de la tarde, pero estaba cerrada. Tenía un letrero que decía: "Abierto hasta las 12:30." No había nada qué hacer, revisé la boleta y vi que tenía diez días de plazo para pagar la multa, así que no me preocupé más y nos fuimos.

Ese sábado en la noche, la mamá de las chicas Jenkins avisó que no iba a bajar porque estaba enferma y no quería salir de su cuarto. Les sugirió a sus hijas que prepararan una cena para nosotros y otros amigos y amigas, ahí mismo en la casa.

Empezó la gran fiesta, todos vestidos de smoking, corría la champaña y todo era elegantísimo, con el *butler* que atendía de frac. A eso de las doce sonó el teléfono:

—Señor Figueroa, teléfono —me dijo el *butler*.

Me extrañó recibir una llamada, pero fui a contestar:

—¿Quién es?

—Hablo de la estación de policía, ¿por qué no se presentó usted a la policía el día de hoy?

—Un momentito, se equivoca usted, señor, yo estuve en la oficina. Obviamente desconozco los horarios de aquí. Fui a la una de la tarde y me encontré con que atendían hasta las doce y media. Me presenté, nada más que llegué tarde. Pero el lunes iré a arreglar ese asunto.

—Usted, como todos los mexicanos, viene sólo a burlarse de las autoridades norteamericanas y de las leyes y las reglas...

—No, señor, yo soy gente sumamente respetuosa en todas las cosas, y con el mismo respeto exijo yo que se me trate a mí. Mire, usted está completamente equivocado. Por una infracción de tráfico me está molestando a las doce de la noche en mi casa...

—Se equivoca, usted pasó ilegalmente la frontera.

—Pero claro que no, tengo todos los sellos de haber cruzado legalmente.

—*You came with the fellow by the name Quevedo* —escupió despectivamente.

—Sí —le dije—, ¿qué hay de malo con él?

—A ese Quevedo le hemos checado y es miembro del Partido Comunista. Y como usted viene con él, aquí no hay cuento que valga: empaquen porque el carro de la policía estará en media hora por ustedes para llevarlos al Glendale y dejarlos en la frontera. Va usted a esperar a la policía, y no discuta.

Para entonces ya estaban todas las Jenkins a mi alrededor queriendo quitarme el teléfono para ver si podían hacer algo. ¿Qué otra opción me quedaba? Entonces se oyó una carcajada del otro lado:

—¡Idiota! Soy Arturo de Córdova.

Acabábamos de hacer una película en México y me había dicho que no iba a ir a Hollywood, así que nunca imaginé que pudiera estar ahí. Había llegado ese día porque le habían propuesto una película con la Paramount y tenía que hablar con dos productores.

—¡Qué desgraciado eres! —le dije, mientras todos se reían—. Realmente me pusiste muy preocupado con todo ese asunto, tan felices que estábamos y vienes a echarlo a perder.

—No, es que me llamaron unos productores y vengo a ver si empezamos una película, ahorita estoy con ellos y vamos a ir a cenar. Nada más quise saludarte.

—¿Por qué no vienes a tomar una copa?

—No, no, ¿cómo voy a llevar a los productores allá con ustedes...?

Creyó que estábamos viviendo en alguna pocilga, y ahí vi la oportunidad de regresarle la broma:

—Mira, tú te avergüenzas de dónde vivimos nosotros y por eso no quieres traer a tus productores gringos; te da pena, pero es la última vez que yo hablo contigo. En México no te vuelvo a dirigir la palabra, por tu discriminación hacia tus compatriotas en Hollywood.

—Oye, Gabriel, no lo tomes así. Dame la dirección y ahí vamos, nos tomamos una copa y nos vamos a hablar de nuestros asuntos.

Le di la dirección (The Doheny Drive quién sabe qué número) y se conoce que él les dijo a los productores:

—Miren, tengo que cumplir con estos muchachos que son pobretones y vienen a estudiar acá, así que el lugar no se los aconsejo mucho, pero han de tener buen whisky. Nos tomamos una copa y ya, y así quedo bien porque parece que se molestaron.

—*All right.* Vamos —dijeron los gringos.

Comenzaron a buscar y llegaron al Doheny Drive, vieron el número y pensaron que no podía ser: la reja de entrada era enorme, cabían dos carros y era eléctrica, y además había una caseta donde estaba el portero de la casa, quien ya había recibido instrucciones. Se bajó uno de los americanos y le preguntó al portero:

—Oiga, perdone, andamos buscando este número y coincide con este domicilio. Buscamos a un señor Gabriel Figueroa.

—Ésta es la casa del señor Figueroa. Pase usted. Nada más apriete el botón eléctrico que está en el postecito para que se abra la reja y pueden pasar.

El portero podría haber apretado el botón desde donde estaba, pero tenía instrucciones de hacer todo esto. El productor abrió la reja, pasaron y el portero les indicó que la casa era arriba, donde se alcanzaba a ver la luz. Cuando llegaron, ya tenía yo todo el teatro preparado. Abrió el *butler* y les dijo:

—Sírvanse pasar.

El desconcierto era general; ninguno de ellos esperaba una cosa así. Entró Arturo buscándonos y entonces salí a la recepción como si fuera el dueño de la casa:

—Señores, ¿cómo están ustedes? Pasen, por favor.

Vino un mozo con una enorme charola de plata llena de copas de champaña. Arturo se iba acercando a donde yo me encontraba; estaba con el ojo cuadrado:

—Oye, desgraciado, ¿qué hacen ustedes?

—Ah, ¿no quieres esto? ¿Quieres alguna otra bebida?

Naturalmente tomaron la champaña y seguimos bebiendo. Cenamos, se ofreció más bebida y empezaron los chistes. Arturo seguía preguntando y preguntando qué hacíamos allí, hasta que le expliqué que éramos invitados de las chicas Jenkins. Como ya era tarde subimos al departamento de invitados para dejar dormir a la señora. Arturo creía que estaba en las mil y una noches.

En aquel viaje fui a varios estudios: a la Paramount, donde conocí a Carole Lombard, esposa de Clark Gable, a su fotógrafo Teddy Tetzlaf, a Claudette Colbert y a Rita Hayworth; luego a la Metro, adonde llevaba una carta de Dolores del Río para Cedric Gibbons, el principal escenógrafo del estudio; a Universal City, donde conocí al presidente de la compañía, Carl Lammle, y también a la RKO, a saludar a mi amigo el señor Peter Rathbone, presidente de la empresa y coproductor de *La perla*, quien ofreció una cena en mi honor.

CAPÍTULO V. ALGO DE POLÍTICA

Esperanza López Mateos fue mi cuarta madre, la que despertó en mí la conciencia social. Adoptada por la familia López Mateos, ésta es su historia... Su padre era don Gonzalo de Murga y Suinaga, marqués de Alcázar y vizconde de Mondragón. El marqués se había robado a su mujer, quien era de la nobleza inglesa, y con ella tuvo dos hijos: Clara y Blue. Clara se convirtió más tarde en Esperanza, nombre que adquirió porque a mi tía Elena López Mateos se le había muerto una hija de ese nombre. Don Gonzalo era amigo de la familia y, al separarse de su mujer, ella se quedó con Blue, el hijo, y él, con Clara. Al no saber qué hacer con la niña, le rogó a mi tía Elena que la adoptase. Mi tía aceptó la patria potestad siempre y cuando definitivamente ya no hubiera ninguna relación familiar, y poniendo como condición que don Gonzalo nunca diera un solo centavo para Esperanza.

Esperanza creció en medio de un gran cariño con la familia López Mateos. Tuvo una magnífica educación, aprendió perfectamente inglés, francés y español. Estudió enfermería y pronto tuvo que trabajar pues la familia tenía escasos recursos económicos —mi tía Elena era viuda y tenía cuatro hijos—. Entró a trabajar al Hospital Inglés, que dirigía el doctor Shaw, como anestesista y administradora. Tiempo después tuvo que dejar el hospital, pues le hacía mal el cloroformo. Se dedicó a traducir del francés y del inglés. Se carteaba con muchas personas. Romain Rolland, por ejemplo, era gran amigo y corresponsal suyo. A su educación agregó la carrera de taquígrafa parlamentaria. Más tarde trabajó en la Secretaría de Educación Pública.

Mi entrada al cine coincidió con el matrimonio de mi hermano Roberto con Esperanza López Mateos. Se casaron aun siendo primos, y yo viví mucho tiempo con ellos. La quise muchísimo. Se trataba de una persona muy hermosa, con una inteligencia fuera de lo común y una gran cultura. Siempre fue muy inquieta y trabajaba con los socialistas, colaborando con Vicente Lombardo Toledano, cuyos discursos tomaba. Ponía un enorme empeño en todo lo que se metía.

Yo, de chico, no tenía ninguna inquietud social, pues mi única preocupación era el estómago; ya con colocarme y salir adelante tenía bastante trabajo. Gracias a Esperanza me di cuenta de la urgencia de comprender al pueblo y para él, y participé en cosas que me han dejado el recuerdo de haber contribuido en algo noble.

Era una época estrujante en México por el enfrentamiento del Estado con el clero, que inició Obregón y luego siguió Calles. El choque vino con el cierre de todas las iglesias. En esa época, yo iba muy seguido a Cuernavaca. Allí el golpe fuerte se dio cuando quitaron a la Virgen de Guadalupe. Calles vivía en aquella ciudad, y por ese tiempo se construyó el club de golf, el casino de juego y varias cosas más para que él se entretuviera los fines de semana.

La verdad es que se enfrentaron a la Iglesia en un momento muy crítico, y esto ocasionó la muerte de Obregón. Según él, lo suyo no era una reelección, pues dejaba pasar un periodo presidencial y después volvía a participar, pero fue algo muy discutido. Fueron momentos muy difíciles para el gobierno y, tras su asesinato, vinieron los problemas de la sucesión presidencial, cuando José Vasconcelos jugó para la presidencia.

Conocí a algunos vasconcelistas, entre ellos a Adolfo López Mateos y mi cuñada Esperanza, o Andrés Henestrosa, además de gente ligada al cine como *Chano* Urueta, Alfonso Sánchez Tello, Mauricio Magdaleno, Juan Bustillo Oro. Salieron destapados a la hora en que Vasconcelos dejó el país y los dejó colgados a todos. Era una persona mucho muy brillante, que puso los cimientos de la educación en la época de Obregón. Decían que con una mano ofrecía al pueblo de México el silabario y con la otra a todos los escritores clásicos. Realmente creó toda una organización para la educación y la publicación de libros, que puso al alcance del pueblo. Hubiera podido ser, posiblemente, un magnífico presidente, pero no sé qué le pasó, porque en cierta forma se desequilibró y decepcionó a los que creían en él.

Luego vino la presidencia de Pascual Ortiz Rubio, que no duró casi nada. El día que tomó posesión le dieron un balazo cerca de la oreja y se asustó muchísimo, tuvo que dejar por un año o dos el gobierno. Siguió el interinato de Emilio Portes Gil, que fue muy importante para poner las cosas en paz, pues a él se debe el pacto con la Iglesia. Nosotros aplaudíamos sinceramente la lucha de Obregón y de Calles contra el clero, pero la mayoría de la gente era de un fanatismo enorme y la Iglesia, además, tiene mucha fuerza en toda América Latina. Los intereses tenían que conciliarse.

Durante el periodo del general Lázaro Cárdenas yo estaba haciendo mis primeras películas. El éxito de *Allá en el Rancho Grande* acarreó una propuesta para todo el equipo que había trabajado en ella: Fernando de Fuentes, Alfonso Sánchez Tello, etc. El escritor Rafael F. Muñoz, que había participado en *Vámonos con Pancho Villa*, tenía empleo en alguna de las compañías petroleras, no sé exactamente si en el área de prensa o en publicidad. Un día de 1936 llegó a hablar con Fernando de Fuentes para decirle que las compañías petroleras, en su conjunto, querían hacer un documental para enseñarle al pueblo mexicano cómo se movía esa industria, cuál era su riqueza, cuáles sus propósitos, etc. Habían visto *Allá en el Rancho Grande* y querían contratar a todo el personal para realizar el corto, de un par de rollos más o menos.

Las oficinas de nuestro sindicato (Unión de Trabajadores de Técnicos y Manuales del Cine) estaba en la esquina de Balderas y avenida Juárez, y habíamos cedido un ala de ese local a la CTM mientras construían su edificio. En la azotea teníamos un cuarto de proyección. Cuando nos hicieron aquella propuesta, me di cuenta del verdadero propósito de las compañías petroleras, que no era educar al pueblo, sino inclinar la balanza en contra de la expropiación y tratar de lograr que la gente se enfrentara con el gobierno. Lo primero que se me ocurrió fue negarme a hacer una película que iba en contra de mis ideas, pero pensé que si yo no la hacía, la haría cualquier fotógrafo y acabarían por tener un documental a su gusto. Decidí entrar a sabotear, sin que nadie se enterara.

Como no había ningún guión, debíamos ir a la zona petrolera a fotografiar lo que viéramos, para después editar la película con una continuidad lógica y según una narrativa que prepararía Rafael F. Muñoz. Él, Fernando de Fuentes, un ayudante mío y yo viajamos a Poza Rica. Mi plan era poner la mayor atención posible a la mano de obra mexicana, y así lo hice. Manejé la fotografía a mi gusto. Una de las partes, que luego nos cortaron, estaba tomada con la cámara operada a mano, a un cuadro por vuelta, y mostraba Poza Rica de noche, iluminada por los mechones de gas natural que se quemaba. Salió precioso, pero las compañías nos ordenaron quitarlo para que no se viera el desperdicio de gas que había.

Al terminar la filmación, empezamos a editar. Como trabajábamos en equipo, cada uno daba ideas que Rafael presentaba a las compañías petroleras. Con toda mala fe, les di una idea que fue la que ganó el punto: al principio de la cinta mostraríamos estadísticas de varios años sobre la cantidad de impuestos que pagaban al gobierno federal, el monto anual de los salarios de los trabajadores y algunos otros gastos, que lógicamente ascendían a varios millones.

Cualquier gente con cierta razón, al verlas, pensaría: "Bueno, si pagan todo ese dinero ¿cuánto ganarán?, ¿cuánto sacarán ellos?" Las compañías mordieron el anzuelo como lo mordieron mis amigos, que no estaban al tanto de mis intenciones, sino que era yo solo contra el resto del equipo, y como los conocía, sabía cómo hacer las cosas siguiendo su modo.

Cuando terminamos la película, se estrenó en el cine Alameda, que en aquel entonces era el principal. Por primera vez se presentaba la riqueza de la explotación del petróleo. Los proyeccionistas pertenecían a la Confederación de Trabajadores de México (CTM) e inmediatamente le avisaron a Vicente Lombardo Toledano que había un corto presentado por las compañías petroleras. Él ordenó que lo pararan e investigó quién lo había hecho. Como estábamos en el mismo edificio, llamó a nuestro secretario general, quien le informó que habían participado varios trabajadores, encabezados por el compañero Gabriel Figueroa. El maestro Lombardo me mandó llamar.

—Compañero Figueroa, parece mentira que usted, que es un luchador en el campo obrero, no se dé cuenta de la trampa de las compañías petroleras, que hacen este documental para modificar la opinión pública...

Oí toda la regañada, porque eso era, y al final me limité a decir:

—Bueno, maestro, después le explico cómo está este asunto. Usted tiene toda la razón y no lo voy a contradecir. Nada más quiero decirle que si yo no iba, iba otro fotógrafo, y yo tuve mis propias ideas para impactar con la fotografía. Quiero que lo vea usted.

Fuimos a la azotea y pusimos el rollo. Al terminar me dio dos palmadas:

—Que siga corriendo el rollo.

Eso me probó que había cumplido mis propósitos.

Me tocó fotografiar en varias ocasiones al presidente Cárdenas: su toma de posesión en el Estadio Nacional, su participación en el desfile del 20 de noviembre... Ese día filmamos el documental sobre el desfile deportivo. Nos citaron en Los Pinos a las siete de la mañana, llegamos con las cámaras, preguntando si ya había despertado, y nos dijeron que estaba nadando desde las seis.

Conocí al maestro Lombardo Toledano por medio de Esperanza, que era su colaboradora y acudía a todas las conferencias, mítines y actos en los que él participaba, para transcribir sus discursos. Él le tenía mucho respeto, porque Esperanza era una militante de mucha confianza, que había trabajado toda su vida en el campo social. El parentesco con ella me ligaba a Lombardo, y así empezó a solicitarme que participara en la producción de varios documentales y películas.

Yo era miembro desde 1934 del Sindicato de la Unión de Trabajadores de Estudios Cinematográficos de México, que terminó siendo la Sección 2 del Sindicato de Trabajadores de la Industria Cinematográfica (STIC), dentro de la CTM, formada en febrero de 1936 por Vicente Lombardo Toledano para evitar la injerencia del gobierno, que controlaba la Confederación Regional Obrera Mexicana (CROM) por medio de Luis N. Morones.

Originalmente la Sección 2 agrupaba actores, directores, argumentistas, etc., pero hubo protestas por las cuotas y se separó en varias organizaciones más pequeñas. Yo pertenecía a la de Técnicos y Manuales, cuyo secretario general, Enrique Solís, andaba en malos manejos. Al igual que en la mayor parte de los sindicatos en México, nuestro líder era un sinvergüenza. En 1945 vino un problema gordo. Nos costó una gran lucha y algo de tiempo, pues no podíamos con Solís. El secretario general de la CTM, Fidel Velázquez, vino a quitarlo de su puesto. En plena asamblea le dijo: "Sálgase usted", así, de esa forma. Una de las personas que más había combatido sus procedimientos era yo, y como es normal en las organizaciones, fue el opositor el que ocupó la vacante. Yo no tenía la menor ambición de ser ejecutivo sindical de ninguna especie, pero allí mismo me lanzaron, pues no había nadie que ocupara el cargo y yo podía organizar bien el asunto. Empecé como secretario general interino; luego se celebraron elecciones, fui candidato único y resulté electo secretario general.

Con el idealismo propio de esa edad, quise demostrarle a los directivos sindicales que, para no convertirse en político, un líder debía seguir laborando en la fuente de trabajo y al mismo tiempo manejar el sindicato. Así, durante tres años, trabajé durante el día y a las siete de la noche me iba al sindicato hasta la una o dos de la mañana, sin cobrar absolutamente nada. Desde luego no demostré nada ni sirvió de nada, pero yo creía que podía poner el ejemplo.

Teníamos nuestras oficinas en Reforma 90, casi enfrente del monumento a Colón. Era una casa magnífica que había comprado el secretario general anterior con el dinero de los trabajadores y que, por supuesto, había puesto a su nombre. Un día se presentó un señor a pedirme que desocupara el inmueble, porque mi predecesor había vendido la casa en cerca de medio millón de pesos. La venta se había hecho ante un notario y todo estaba en regla. Por supuesto, yo no podía salirme de ahí, pues el edificio era de los trabajadores, y alegué que el secretario general anterior no tenía derecho a venderla.

A última hora, la CTM había creado una nueva disposición: para cualquier asunto legal, como miembros de la CTM, debíamos recurrir al bufete de Alberto Trueba Urbina. Yo no hice caso. Nuestros abogados oficiales eran Adolfo López Mateos y Mario Pavón Flores, personaje de mucho prestigio en el campo social, que había sacado al Sindicato Mexicano de Electricistas de la CTM y, como es lógico, era detestado por ella. El secretario del STIC me mandó llamar para decirme que tenía que poner nuestros asuntos en manos de Trueba Urbina. Argüí que no existía ningún reglamento que así lo exigiera.

—Es una disposición de última hora, pero usted tiene que acatarla —me dijo Salvador Carrillo.

—Eso es un poco discutible.

Dio un golpe en la mesa, que resonó muy fuerte debido a un anillo que traía.

—Si usted se pone en ese plan nos va a llevar la chingada.

—No se ponga así, yo soy una persona educada. Pero si es algo personal, a la hora que usted guste estoy a su disposición.

Me arriesgué mucho, porque era un tipo muy fuerte, pero nunca he sido dejado en esas cosas. En vez de pelearse más, me citó para el día siguiente en la CTM.

Se reunió todo el comité de la CTM, con Fidel Velázquez a la cabeza. Carrillo nos acusó de desobediencia a las disposiciones de la CTM. Fidel Velázquez tomó la palabra.

—Compañero Figueroa, tengo que decirle que sí es una disposición de la CTM que tiene el propósito de ayudar a los sindicatos —su tono era convincente, razonable—. ¿Por qué no quiere usted aceptarla?

—Le voy a platicar por qué. Usted sabe que nuestro secretario general anterior vendió el edificio de Reforma en cerca de medio millón de pesos al doctor José Havre. Esta historia la sabe usted mejor que yo. A los cuatro días vino un abogado, el licenciado Alvarado. ¿Me puede decir si es del bufete de Trueba Urbina?

—Sí.

—Pues fue a mi oficina, pidió hablar conmigo y, como estaba yo solo, me propuso darme una fuerte cantidad de dinero sin recibo y en efectivo para que dejara el edificio, pues según él la venta es legal. Será muy legal, ante notario y todo, pero es un fraude, y si quiere, en la cara del licenciado ése se lo digo: no voy a recurrir al bufete de Trueba Urbina porque ya vi cómo defiende los intereses de los trabajadores: comprando a los líderes.

Muy hábil, Fidel Velázquez dominó la situación.

—Tiene usted toda la razón, compañero Figueroa. Le voy a hacer una propuesta: siga con sus abogados de confianza hasta terminar este litigio y luego yo le suplicaría que se apegue a la disposición de ir con Trueba Urbina para cualquier otra cosa.

Él sabía que yo no iba a cumplir de ninguna manera, pero así salió gentilmente del paso. Carrillo se quedó furioso.

En combinación con los líderes del STIC, planearon un truco para sacarnos de ahí. Alterando las fechas, nombraron un depositario de los bienes materiales del sindicato (sillas, escritorios, cajas fuertes) para que pudiera cambiar los muebles de un lugar a otro en forma legal. La ley establece que es necesario dar tres avisos ante un juzgado a la persona u organización interesada. El depositario dio aviso al oficial mayor del STIC, no a nosotros, de modo que un domingo, cuando me disponía a descansar, sin ninguna preocupación al respecto, sonó el teléfono. Era el portero de Reforma 90.

—Señor Figueroa, por fin me puedo comunicar con usted. El teléfono no funcionaba. Véngase lo más pronto posible, porque ya sacaron dos camiones cargados de muebles y va a salir el tercero.

Llamé a Adolfo López Mateos, que también nos ayudaba sin cobrar un centavo, y llegué a Reforma 90 con él y con Mario Pavón Flores. Estaban allí el secretario general anterior, el actuario, y ante todos se leyeron los papeles. "Es legal", dijeron nuestros abogados: "No nos podemos oponer a que salgan los muebles". Pedí que me dejaran leer de nuevo los papeles. No sabía qué hacer con esas personas mirándome con una gran sonrisa, como diciendo: "Ándale, a ver qué puedes hacer".

Adolfo López Mateos se retiró sin decir nada a nadie y se metió al edificio. Cuando regresó, se dirigió al comandante de policía:

—Aprehenda usted al señor —dijo, señalando al antiguo secretario general—. Vamos a la inspección de policía.

—¿De qué me acusa el abogadito éste?

—Ya verá de qué lo acuso. Aprehéndalo y vámonos.

Cerraron las rejas y se quedaron dos camiones adentro, mientras los otros permanecían fuera. Yo no sabía que iba a pasar, porque Adolfo era una persona hermética y no dejaba ver sus planes. Al llegar, el agente del Ministerio Público vio la documentación:

—Esto es perfectamente legal, ¿de qué acusa usted al señor?

—Sí, a ver, ¿de qué me acusa?

—Lo acuso por ataque a las vías generales de comunicación, artículo número tanto.

Efectivamente, Solís había cortado el teléfono para que no me avisaran de la mudanza. Lo agarró por ahí y lo metió a la penitenciaría. Yo tenía 48 horas para sostener la acusación, pero estaba en un lío: los señores del STIC no habían registrado mi personalidad como secretario general, así que no era nadie, no podía acusarlo. Por consejo de los abogados, citamos a todos los trabajadores, que eran alrededor de mil quinientos, y ante un notario público, el licenciado Adolfo Aguilar y Quevedo —con quien estoy profundamente agradecido—, nos sentamos veinticuatro horas a registrar uno por uno a los trabajadores, que me nombraban apoderado de los bienes del sindicato. Ese mismo domingo redactamos un desplegado que salió el lunes en todos los periódicos y ocupaba una plana entera, en el que protestábamos por el gangsterismo sindical en la CTM.

El lunes por la noche hubo una reunión de carácter superurgente en las oficinas de la CTM: nuestro comité, el comité del STIC y el de la CTM. Se abrió la sesión. Con su calma habitual, Fidel Velázquez se levantó:

—Compañero Figueroa, lo hemos citado por el manifiesto que salió en los periódicos esta mañana. Como usted es nuevo en las lides obreras, quisiera decirle que nosotros nos regimos por esta regla: la ropa sucia se lava en casa.

—Sí, compañero Velázquez, la ropa de usted se lava en casa. La mía se lava afuera, en público.

Salvador Carillo, que estaba sentado junto a mí, empezó a hablar en una forma grosera, francamente insultante, provocándome a cada momento para que yo le contestara. En una de ésas estuvo especialmente agresivo y le dije:

—Ya habrá tiempo de que conteste a todo lo que está diciendo, pero tengo la suficiente educación para no interrumpir a quien tiene el uso de la palabra.

Fidel Velázquez me dio la palabra. Expliqué todo lo que habían hecho, truco tras truco. Carrillo se levantó:

—Nos dicen ladrones, nos dicen gángsters, pero no dan nombres, no se atreven a decir un nombre.

—Espérese, estamos en los hechos. A la hora que vengan los nombres, le doy nombres. Usted encabeza la lista de los ladrones.

—Es usted un idiota...

—Un momento... —le dije, y al estarme poniendo de pie, me lanzó una bofetada con la mano en que traía el anillo. Me golpeó el molar y me lo rompió.

Se armó la gresca ahí adentro. Sujetaron a Carrillo por la espalda, yo me paré y empecé a buscarlo para desquitarme, pero era como nadar entre la gente, no lograba llegar a él. De repente, vi que Carrillo cerraba los brazos y sacaba una pistola que traía en el pecho. Me jalaron y me sacaron a la fuerza, salimos volados de ahí y fuimos al sindicato, donde redactamos otro manifiesto.

Al estar trabajando en esto, llegó a mi oficina Alonso Sordo Noriega, gran amigo mío y locutor de la XEW. Le dijeron que no podía verme, que me habían golpeado.

—¿Cómo que lo golpearon?

Abrió la puerta y empujó a todo el mundo. Me encontró con un pedazo de hielo contra la cara. A la hora que me lo quité para que me viera creí que se iba a reír, porque sentía la cara abombada y debía verme muy chistoso. Me cabía un dedo completo en el hueco del molar.

—¿Pero cómo te tienen aquí en estas condiciones? A ver, usted acabe de redactar eso —le dijo al abogado. Me sacó de allí, me subió a su coche y buscó a un especialista. A las once de la noche me estaban operando en el Hospital de Maternidad, donde trabajaba el hermano de Alonso, que era médico.

No avisé a mi casa para nada, y como a las tres de la mañana me salvó la vida la indiscreción de un amigo mío, que habló para preguntar en qué hospital estaba. Esperanza no sabía nada, pero de inmediato se movilizó, me localizaron y llegó como a las 7:30 de la mañana, justo cuando una enfermera iba a pasar con un sedante.

—¿Qué es lo que le va dar usted?

—Es un sedante que ordeno el médico.

—No, él no puede tomar una cosa así, no se lo dé.

La enfermera insistió: tenía que cumplir sus órdenes. Por suerte estaba ahí el médico del sindicato, el doctor Santoyo.

—La señora tiene razón. Soy médico y prohíbo ese sedante.

Estuvieron a punto de mandarme al otro mundo, pues como me habían operado de emergencia no sabían mi historial clínico. Gracias a esa operación, no quedé deforme.

Todos los artistas y técnicos hicieron una gran manifestación por Madero y Zócalo para protestar por la agresión. Se paralizó la industria cinematográfica. Hubo una gran asamblea, en la que entraron *Cantinflas* y Jorge Negrete, y donde se decidió separarnos de la CTM, a pesar de lo difícil que resulta lograr el registro en esas circunstancias. Seguimos haciendo manifestaciones y mítines. Uno de ellos fue en el frontón México y asistieron cerca de ocho mil personas. Se sentía una gran unión. Pedimos nuestra separación del STIC y de la CTM para formar un Sindicato de Trabajadores de la Producción, que tenemos hasta la fecha. El registro lo pudimos obtener gracias a la solidaridad del Sindicato Mexicano de Electricistas. Nos asesoraba Rafael Galván Maldonado, un líder muy conocido, muy inteligente y muy honesto. Como se vio que no nos iban a dar el registro pues la CTM debía respaldar la candidatura de Miguel Alemán para la presidencia, llegó el momento de actuar, así que los electricistas bajaron el *switch* del Distrito Federal durante un minuto, y notificaron que al día siguiente serían dos, luego tres, y así hasta que nos dieran el registro. Desde luego, esto no se hizo por escrito, sino avisando por teléfono al secretario del Trabajo, el licenciado Francisco Trujillo Gurría. Por fin, gracias a toda esa lucha y al apoyo de los electricistas, obtuvimos el registro. Sólo bajaron el *switch* tres días consecutivos.

Echamos a andar la industria nuevamente, pero los del STIC trataron de deshacer todo un movimiento de huelga que habían planeado antes. Tuvo que hacerse el recuento legal de diez días de espera, y durante ese tiempo nos fortificamos en los estudios. Ninguno de los hombres salía; nos quedábamos de guardia cuando las muchachas se iban, a las siete de la noche. Hubo incidentes muy simpáticos; por ejemplo, lo que sucedió con un argentino que estaba en los estudios CLASA. Yo estaba encargado de los Estudios Azteca, Negrete de CLASA y *Cantinflas* se paseaba de un estudio a otro, porque ahora él era el secretario general. Al cuarto o quinto día de nuestro atrincheramiento, este argentino fue a ver a Negrete y le dijo:

—¿Sabe, señor Negrete? Quiero que me dé usted un permiso para retirarme porque pasado mañana sale mi barco de Veracruz para Buenos Aires. Ya tengo mi pasaje y debo irme.

Negrete era una gente de acero:

—Usted no se mueve de aquí. Las disposiciones son firmes para todos.

—Pero, señor, es que...

—Ni hablar, usted se queda.

—Pero... Si me permite hacerle una pequeña aclaración, ya después usted ordena a ver qué sucede. Yo no pertenezco al sindicato, vine de visita al estudio y en el momento en que se armó esto me dieron un palito y me pusieron a marchar con todos aquí adentro, y pues he estado encantado, jugando póquer y conviviendo con los amigos, pero usted comprende.

Alrededor de los estudios acampaban los policías en tiendas de campaña. Por fortuna no se presentaron los trabajadores cetemistas a atacarnos, porque habían amenazado con tomar los estudios y darnos una lección. Los hubiéramos acabado, teníamos todos los focos de cinco y diez mil watts (uno focos grandes que se usaban entonces) que ya no servían, llenos de gasolina con algodón y una estopa tapándolos. En cada foco cabían por lo menos un par de litros de gasolina, así que eran verdaderas bombas molotov.

Uno de esos días se presentó un hombre vestido común y corriente y pidió entrar con todo y coche. No sé cómo, pero se adivinaba que era alguien importante, así que lo dejaron pasar. Se bajó y solicitó hablar conmigo a solas. Cuando salieron todos y le pregunté de qué se trataba, me dijo:

—Aquí le traigo al campeón de tiro de metralleta —efectivamente, dentro del auto esperaba otro hombre con una ametralladora de seiscientos cartuchos—. La vamos a colocar donde usted quiera por si los atacan los de la CTM. Usted es el responsable. No se lo diga a nadie, nadie tiene por qué saberlo. Nada más es cuestión de ver dónde la ponemos sin que nadie vea al señor, porque ése va a ser su trabajo.

Llamó a su acompañante y le dijo:

—Éste es el señor Figueroa. Él es el único que puede ordenar el fuego. Hasta luego. No me pregunte de dónde vengo ni quién soy.

Obviamente deduje de dónde podría venir un señor con una ametralladora del ejército. Una muestra de la simpatía que gozaba el movimiento.

Cuando todo terminó, antes de que los policías recibieran la orden de quitar sus tiendas de campaña, llegaron nuestros trabajadores y empezaron a sacar con palas las bombas que teníamos sembradas por ahí. Los policías se llevaron un susto espantoso al ver que habían estado viviendo sobre ellas, como si nada. Fue una suerte que no nos atacaran, porque hubiera sido una masacre.

Todos los periódicos publicaron reportajes y fotografías de la vida en el interior de los estudios durante aquellos días: Negrete con una pistola, otro con un palo, etc. Nos convertimos en un asunto de interés nacional, y la cosa llegó hasta la presidencia de la República. Don Manuel Ávila Camacho mandó llamar a diez representantes de nuestro sindicato y a diez del STIC; a la mera hora del STIC fueron tres personas y los demás eran de la CTM. Nosotros diez llegamos sin más compañía que Alfonso Sánchez Tello y si acaso otros dos o tres amigos más, pero los del STIC metieron a ciento cincuenta trabajadores para agredirnos en un salón de Palacio Nacional. Don Manuel nos invitó a presenciar la ceremonia en que iba a recibir las credenciales de un embajador, y para llegar tuvimos que atravesar la sala donde estaban los cetemistas, que empezaron a gritarnos toda clase de cosas mientras pasábamos entre ellos. El último de nuestro grupo era Genaro Núñez, secretario general de los músicos.

Cuando ya iba llegando al final de la sala, un tipo le gritó "fascista", Genaro Núñez se volteó, le dio una bofetada y lo tiró. Los ciento cincuenta se quedaron paralizados, nosotros nos detuvimos dispuestos a defendernos, pero no pasó nada más y entramos al despacho de don Manuel Ávila Camacho.

Hablamos tres horas y media con el presidente, le explicamos cuál era la situación y todo lo que había sucedido. *Cantinflas* decía "ladrones" cuando se tenía que decir ladrones: hablaba sin pelos en la lengua. Por fin llegamos a un acuerdo propuesto por el presidente: el secretario del Trabajo, licenciado Trujillo; el abogado de la CTM, Trueba Urbina, y nuestro abogado, Pavón Flores, harían un laudo presidencial delimitando la jurisdicción de ambos sindicatos, con lo cual se acabaría el lío. Aceptó la CTM, aceptamos nosotros, y se levantó el presidente:

—Ahora los exhorto a que ya no haya más enfrentamientos inútiles. Vamos a trabajar todos por la industria nacional, por la industria del cine. Los conmino a que olviden estos líos, porque deben comprender que tengo en igual estima a ambos grupos...

Cantinflas se levantó y con los ojos llenos de lágrimas lo interrumpió:

—Señor presidente, quizá yo me tenga que ir del país a trabajar a otro lado, pero no tolero en lo absoluto que usted tenga en igual concepto a este grupo de ladrones y a este grupo de trabajadores honestos.

A continuación se dirigió a la puerta. El presidente era amigo suyo, aparte de todas las cosas, así que lo llamó ("Mario, ven acá"), yo corrí ("Mario, con el presidente no hay chistes") y por fin regresó muy enojado.

Don Manuel le puso la mano en el hombro:

—Te voy a aplicar una sanción por haber faltado al respeto a una autoridad. Quiero saber si estás dispuesto a cumplirla.

—Sí, señor residente.

—Vas a invitar a comer a todos estos señores.

—Yo no me siento a comer con estos ladrones.

—Yo pago —dijo el presidente.

—Ni así.

Se salió, salimos todos y los ayudantes del presidente nos dijeron que bajáramos por una escalera trasera para evitar un enfrentamiento. Pero otro ayudante había mandado al otro grupo por la misma escalera, y al ir bajando nos dimos cuenta de que veníamos mezclados con ellos. Jalé a Mario hacia un descansillo:

—Vamos a esperarnos aquí.

Él vio a estas personas y me contestó:

—Sí, vamos a esperar a que pasen estos hijos de la chingada.

Ninguno se movió. Eran de mucha pistola, pero resultaron bastante cobardes.

Poco después llegó a México un actor y bailarín español que traía un espectáculo grande. Se llamaba Miguel de Molina y era una "loca". Vino a ver a Negrete y éste le dijo que podía escoger el teatro que quisiera, pues nosotros lo respaldábamos. Pero los del STIC controlaban la Federación Teatral y manejaban varios teatros, así que fueron con Miguel de Molina y le ofrecieron, gratis, el teatro Iris. Él mordió el anzuelo y aceptó. Los periódicos anunciaron el espectáculo y se despertó gran expectación, pues nosotros declaramos que el señor no debutaba y los del STIC que sí. Las autoridades estaban muy pendientes de lo que iba a suceder.

Decidimos hacer un mitin y armar un relajo nuestro, pero todo el teatro estaba vendido. Habían metido a los trabajadores del rastro en la galería y habían repartido el resto de los boletos en la CTM, así que apenas pudimos conseguir tres: uno para Negrete, otro para *Cantinflas* y otro para mí.

El día del debut acuartelamos a nuestros trabajadores en los Estudios Azteca Tepeyac para que al primer llamado corrieran al teatro Iris, donde nosotros tres pensábamos causar un escándalo. Así, nuestro comité ejecutivo se reunió en mi oficina, en la colonia Roma, a las siete, cuando faltaban dos horas para la función. Estábamos en el salón de sesiones hablando de todo esto, cuando se abrieron las puertas y entraron diez agentes de la policía judicial, que conocían a *Cantinflas* muy bien:

—Mario, tenemos órdenes de no dejarlos salir de aquí hasta que termine la función del Iris. Les suplicamos que no nos hagan hacerlo por la fuerza; comprendan nuestra situación y no traten de resistir.

Pues ni modo. Nos quedamos ahí platicando, sacamos coca-colas, abrimos una botella y nos hicimos a la idea de no hacer ningún movimiento. Al cuarto para las nueve *Cantinflas* se levantó:

—Bueno, al baño sí puedo ir, ¿no, flaco? —se dirigía a mí—, ¿dónde está el baño?

El baño estaba en un pasillo y tenía un balcón a la calle. Le abrieron la puerta, se metió al baño, cerró con llave y saltó por el balcón. Tomó un taxi que iba pasando y se dirigió al teatro Iris. Había gente en la esquina para no dejarnos pasar si llegábamos a ir, así que Mario se agachó y el taxi pasó por la calle de Donceles con su letrero de "libre". Al llegar a la puerta del teatro, se bajó rápidamente y entró con la oportunidad que dan los buenos propósitos y la honestidad. Cuando iba a la mitad de la sala se alzó el telón y salió Miguel de Molina a presentar su espectáculo. *Cantinflas* llegó hasta donde estaban los músicos, y en medio de un silencio tremendo, le gritó:

—¡Maricón! ¡Hijo de la chingada!

De inmediato lo rodearon seis agentes de tránsito que estaban avisados y que siempre han sido muy amigos suyos. Le salvaron la vida sacándolo del teatro, porque toda aquella gente estaba ahí para algo.

Antes de todo este lío, había ido yo a entrevistarme con el maestro Lombardo Toledano, que era el secretario general del comité ejecutivo de la CTM, para plantearle nuestro problema con los líderes del STIC y pedirle que señalara un arbitraje. Denuncié abiertamente el gangsterismo, dando nombres y todo. Me dijo que iba a estudiar el asunto y que me llamaría luego.

Cuando me mandó llamar, me dijo que no podía intervenir. Había muchas cosas de por medio, según dijo, y no podía participar.

—Maestro —le dije—, le estamos brindando la oportunidad de sanear la CTM del gangsterismo que ahorita empieza a tomar fuerza. La está perdiendo por razones que usted sabrá y no tiene por qué decirme, pero los gángsters van a acabar por sacarlo y apoderarse de la CTM sin que usted pueda meter las manos.

En otro momento, el maestro Lombardo, secretario de la CTM, nos envió un comunicado al Sindicato de Trabajadores de la Producción Cinematográfica de la República Mexicana (STPCRM) pidiendo respaldar la huelga de los laboratoristas de Hollywood, no procesando aquí ningún material de Estados Unidos.

El comité central aprobó la ayuda y boletinamos a todos los laboratorios de aquí para que nos avisaran si llegaba algún material del extranjero. Era un lío intergremial por el control del sindicato de allá, la IATSE, que capitaneaba un tal Mr. Walsh. Años más tarde, este mismo dirigente me negó el permiso de trabajo en los estudios de Hollywood.

Por ese mismo periodo, estábamos ligados con movimientos importantes que dirigían gente de sólido prestigio como Jacinto López, Félix López, Juan Manuel Elizondo, todos ellos gozaban del respeto de los trabajadores y el campesinado, especialmente en el norte.

En 1950, durante el sexenio de Miguel Alemán, se nos presentó una huelga en el Politécnico. En esta huelga, gente conocida del profesorado y algunos amigos nos conectaron a Esperanza y a mí con los estudiantes, quienes iban a la casa a hablar sobre el problema que tenían. Habían presentado un pliego de peticiones para mejorar todos los servicios y vino la huelga y pararon todo, incluso les quitaron el beneficio económico que recibían todos los alumnos de provincia que venían a estudiar al Politécnico. No tenían con qué comer. Ésa fue la presión que puso el gobierno para bajarles la cabeza a los estudiantes.

Los estudiantes empezaron a moverse por todos lados para ver qué hacían, recogiendo dinero, recogiendo ideas. De las principales gentes en las que creían —según decían ellos, no yo—, éramos nosotros. Los ayudamos con ideas y económicamente. La dirección en especial fue buena, porque algunos estudiantes se inclinaban por presentar una bandera roja del movimiento, lo que ponía en peligro su éxito ya que el gobierno estaba aplastando cualquier brote rojo que hubiera en México. Les dijimos que no usaran propaganda en ese sentido y más o menos establecimos cuáles serían las reglas del juego a seguir.

Tuvimos suerte. Al final se ganó la huelga del Politécnico para gran alegría de los estudiantes y nuestra. Cosa rarísima, porque ese sexenio no se ganó casi ninguna huelga —aunque claro que no era una huelga en la que interviniera la Junta de Conciliación y Arbitraje.

Hicieron la apertura de las clases en el Politécnico y fueron a invitarnos. Querían que yo estuviera en el presídium. Respondí que de ninguna manera, que yo no iba a estar en ningún presídium ni nada y que, sobre todo, que jamás exhibieran de dónde habían obtenido algunos recursos o algunas ideas. Eso era algo que debían guardar, porque de lo contrario al siguiente problema nos perjudicaría a todos.

Durante la guerra mundial, en 1942, hubo un seminario de educación visual en Hollywood, al que acudieron representantes de toda América Latina. Existía el proyecto de enseñar a leer y escribir por medio del cine. Muchos de los asistentes eran profesores; de México invitaron a Eulalia Guzmán. Yo fui invitado especial como técnico cinematográfico. Me parecía que no tenían razón y presenté un programa sobre cómo ayudar a la agricultura, la salud, la higiene y varias otras cosas, en vez de tratar de alfabetizar por medio del cine.

Las juntas se llevaron a cabo en los estudios Walt Disney, porque iban a ser cortos de dibujos animados financiados por Nelson Rockefeller. Ahí me di cuenta de la importancia de Disney durante la guerra. Nos enseñaron cortos que formaban parte del entrenamiento en la aviación. Recuerdo un corto de diez minutos, con dibujos animados y fotografías, sobre los aviones japoneses llamados "Zero", tripulados por un solo piloto temerario. A partir de las fotografías y con la ayuda técnica de algunos aviadores, Disney pudo precisar a qué velocidad iba el avión y hasta el ángulo en que se debía apuntar para derribarlo. Por otro lado, hicieron público que no sabían cómo atacar ese avión, gracias a lo cual los japoneses no se preocuparon por diseñar nada nuevo y siguieron produciendo "zeros" en grandes cantidades. En el primer encuentro que tuvieron en el Pacífico, la aviación norteamericana derribó alrededor de cuatro mil aviones.

Además, Walt Disney hacía películas para entrenar a los trabajadores que reemplazaban en las fábricas a los soldados que combatían en el frente. Eran pequeñas cintas de ocho milímetros que explicaban cómo se manejaban las máquinas. Desempeñó un papel sobresaliente en la preparación de los soldados, los aviadores y los obreros.

Durante el seminario pude tratar al señor Rockefeller, quien nos brindó buena ayuda para conseguir película Kodak durante la guerra. Era una persona muy culta, gran coleccionista de arte y proveedor de algunos museos, muy liberal en su trato, además de gran amigo de Diego Rivera.

Con frecuencia otro miembro del seminario, la señora Doris Warner (hija de Jack Warner, el mandamás de los estudios Warner Bros.), casada con el director Mervyn LeRoy, nos invitaba a cenar a su casa. Doris era una entusiasta del plan educativo. En su casa nos mostraba las películas recientes de sus estudios.

Fui comisionado para presentarlas en el Palacio de Bellas Artes, donde asimismo presenté al señor Kenneth Macgowan, quien ante doscientos directores de zonas escolares dio una conferencia sobre educación; yo participé en otra plática.

Pocos años después de la guerra, en Estados Unidos se desató una persecución de la gente de izquierda y liberal dirigida por el senador Joseph R. Mcarthy, principalmente en los estudios de Hollywood, donde fueron detenidos los llamados "Hollywood Ten" con otros cientos más.

La primera noticia que llegó a México sobre este problema, la publicó únicamente el periódico de izquierda *El Popular*. La nota se refería a la aprehensión del escritor Howard Fast, muy conocido en los medios cinematográficos de Estados Unidos. Fue uno de los primeros que metieron a la cárcel. Aquí hicimos una protesta pública en los periódicos, con muchas firmas, encabezadas por Diego Rivera, David Alfaro Siqueiros y Manuel Álvarez Bravo, entre otros, por la detención de Howard Fast.

En 1950 me enteré a fondo de este problema cuando Pablo Neruda y Efraín Huerta organizaron un mitin en el sindicato de telefonistas para dar a conocer el problema del macartismo, así como el de los "Hollywood Ten", todos ellos cinematografistas. Allí fuimos informados con todos los detalles de este atropello.

Al iniciarse el mitin, Pablo Neruda dijo que lamentaba profundamente que los cinematografistas mexicanos no hubiesen acudido al llamado para auxiliar a sus hermanos cineastas de Estados Unidos. "El único que ha venido es Gabriel Figueroa, para el que pido un aplauso. Pido a la asamblea —dijo— el acuerdo para que Gabriel Figueroa esté en el presídium, encabezando el mitin". Vinieron los aplausos y fui para arriba —y claro, mi fotografía a la embajada americana.

Varios de los "diez de Hollywood" vinieron a vivir a México, después de pasar un año en la cárcel y pagar una fuerte multa. Aquí siguieron trabajando, pues la mayor parte de los inculpados eran escritores y adaptadores y vendían su trabajo a los estudios de allá, bajo seudónimos naturalmente. Algunos de ellos colaboraron con nosotros: Albert Maltz en *Flor de mayo* (1957), de Roberto Gavaldón, y Hugo Butler y George Pepper, con quienes don Luis Buñuel y yo hicimos la versión en inglés de *La joven* (1960): *The Young One*.

Charles Chaplin pudo evadirse de Estados Unidos. Había sido citado en Washington, pero lo localizaron a bordo del barco en el que salió para Europa.

A mí me tocó participar en un problema relacionado con esta cacería de brujas. Llegó a México el director Robert Rossen, quien había ganado un Oscar con su película *All the King's Men* (1949), para filmar aquí una película de toros: *The Brave Bulls* (1951). Traía una carta para mí, invitándome a fotografiarla. No acepté porque ya tenía el compromiso de trabajar en *Los olvidados* con Luis Buñuel y me interesaba muchísimo.

Aunque no trabajé con Rossen, hicimos una buena amistad y cenábamos los sábados mientras hacía su película, en la que participó Miroslava. Cuando ya estaba editando, llegó un día a mi casa, diciendo que le urgía hablar conmigo. Estaba muy preocupado, lloraba:

—Acabo de recibir un citatorio de Washington.

Le pregunté si era fundada la acusación que le hacían.

—Sí —me dijo.

Empezó a pedirme ayuda, aterrorizado. Me cogía de las solapas y me suplicaba que hiciera algo. Finalmente lo llevé a su casa y le prometí que hablaría con quienes tal vez supieran qué hacer. Luego me reuní con Esperanza y otros amigos; gente que sabía cómo torear los toros. Se les ocurrió la idea de hablarle a don Luis Cabrera, el brillante internacionalista, y pedirle consejo.

Cuando lo pusimos al tanto de lo que sucedía, el licenciado Cabrera decidió ocuparse del caso, el último asunto importante que tocaría, debido a su edad. Ofreció hacerlo sin cobrar un centavo y pagando él mismo sus gastos de viaje, con la condición de no defender sólo a Rossen sino a todos. Lo único que tenía que hacer era sacar a su familia de Estados Unidos, y nosotros le gestionaríamos un asilo político. A mí me pareció maravilloso, y le trasmití el ofrecimiento a Rossen, quien me besó y me cargó.

—Ves, algo me decía que tú me salvabas de ésta.

Teníamos cita al día siguiente a las cinco de la tarde en el despacho del licenciado Cabrera, por lo que quedé de pasar por Rossen media hora antes.

Al día siguiente llegué a la hora prevista y salió la portera, quien me informó que el señor Rossen, con todo y petacas, había salido a las ocho de la mañana rumbo a Estados Unidos. No dejó ninguna nota, ninguna carta, nada. Se conoce que tenía prisa porque salió volado.

Hablé con el licenciado Cabrera y le informé de la situación. Don Luis comentó: "Así es el ser humano, ¡qué le vamos a hacer!"

A los dos meses recibí una carta de Rossen en la que me decía que estaba en España haciendo una película y que no había tenido tiempo de despedirse de mí. Nada más. No me aclaró ninguna cosa. Si estaba haciendo una película eso significaba, lógicamente —y después lo pude checar—, que había dado nombres para salvarse de la cárcel, pues en aquel momento era la única posibilidad para no ir a dar a allá. Recibí otras dos cartas suyas y jamás le contesté.

Durante la estancia de Rossen en México una vez lo acompañé a ver a Dalton Trumbo a Cuernavaca y me lo presentó. Nada más le dije: "How do you do?", y me regresé. Pasaron muchos años, y hacia 1967 llegó de nuevo a México este gran escritor Dalton Trumbo, quien había escrito una obra sobre Moctezuma. Vino con un productor Lewis. Estuvieron con Alfonso Sánchez Tello para ver locaciones y armar la película. El último día Trumbo le preguntó a Sánchez Tello si me conocía. Al enterarse que era como mi hermano, le pidió que me hablara por teléfono, ya que no podía irse de México sin darme un abrazo. Vinieron a la casa. Estuvimos Trumbo, Lewis, Sánchez Tello y yo, con nuestras respectivas esposas.

Nos habíamos visto una sola vez, pero cuando me vio de nuevo se le llenaron los ojos de lágrimas, me dio un abrazo y nos fuimos a la punta del salón con una botella de whisky, hielo y un sifón. Me agradeció el interés y el cariño a los "Hollywood Ten". Me agradeció a nombre de todos por toda la vida.

Cuando el macartismo, el Screen Writer's Guild llamó a Trumbo porque sabían que había sido convocado a Washington. Lo primero que hizo fue entregarles su renuncia para no involucrarlos y les explicó lo siguiente:

—Me han citado a Washington porque algunos compañeros quieren mi trabajo en los estudios de Hollywood. Por eso me delataron, voy a ir a Washington. Les dejo mi trabajo pero, lamentablemente para ellos, no les dejo mi talento.

Estuvo en la cárcel. Dalton Trumbo era un gran señor.

Después de un rato de conversar con Trumbo, Lewis nos interrumpió diciendo que había venido para ofrecerme un contrato por catorce meses para hacer *Moctezuma*.

De inmediato contesté: "Yo no doy catorce meses a *Moctezuma*. Ni de chiste, ni loco."

Todos nos reímos.

Mientras vivió en México, Dalton Trumbo escribió una historia para los productores King Bros., *The Brave One*, la cual ganó el Oscar de Hollywood en 1957, firmada bajo uno de sus múltiples seudónimos, Robert Rich. Naturalmente que Rich no se presentó a recogerlo; años después *Time Magazine* investigó y dio a conocer la verdad sobre el señor Robert Rich.

En 1960 vino a México el gran director Otto Preminger a ofrecerme el contrato para fotografiar *Exodus*, basada en la obra de Leon Uris y adaptada por Dalton Trumbo. Desafortunadamente no pude tomar el compromiso pues en ese momento empezábamos *La rosa blanca* de B. Traven para nuestro cine, y me fue imposible combinar las fechas.

Sé que quienes dieron mi nombre en Washington fueron, primero, Elia Kazan, y después Robert Rossen.

CAPÍTULO VI.
ADOLFO LÓPEZ MATEOS

Cuando se vino el lío sindical fuerte, Adolfo López Mateos nos ayudó y nunca quiso cobrar, así que busqué la manera de que tuviera una renumeración. Él entonces iba todas las mañanas a Toluca, donde era director del Instituto de Toluca, y a mediodía regresaba.

Como secretario de Técnicos y Manuales, tuve la idea de poner la primera academia de enseñanza cinematográfica, para preparar técnicos y artistas en dicción, mímica, actuación, etc. Nombramos a Celestino Gorostiza, que era un experto en la materia, director. Necesitábamos un secretario y le ofrecimos a Adolfo López Mateos este puesto y lo aceptó. Así tenía un sueldo y se divertía horrores. Afortunadamente, eso ayudó más tarde a Adolfo en su carrera política.

Otro tío nuestro era don Isidro Fabela, una persona de gran prestigio que había sido uno de los principales consejeros de don Venustiano Carranza y secretario de Relaciones Exteriores, que, en fin, había ocupado grandes puestos siempre con un gran talento y una gran honestidad. Era una gente de magnífica cultura y muy vinculado a Adolfo por el Estado de México, del cual había sido gobernador. Se llevaban muy bien. Creo que lo había ayudado para ingresar al Instituto. Incluso Adolfo y nosotros íbamos a visitar a don Isidro a su casa de San Ángel, que tenía una biblioteca extraordinaria.

Don Isidro le propuso a Adolfo que entrara a la política, que jugara para diputado por el Estado de México y que él jugaría para senador por el mismo estado. Adolfo aceptó. Fue y se lo dijo a su mamá:

—Mamá, voy a entrar a la política.

—¡Ay! Te has metido en lo peor que puedes entrar. Tú tienes talento para hacer cosas mejores en la vida que meterte en la política, que es muy sucia y muy traicionera.

—Pues, mamá, ya acepté. Me gusta la política y voy a entrar.

Cuando estaban en campaña electoral, nombraron a don Isidro Fabela abogado en la Corte Internacional de La Haya. Así que llamó a Adolfo y le dijo:

—Voy a La Haya, pero te dejo a ti la senaduría y dejamos pendiente la diputación.

Adolfo aceptó y comenzó con mucho trabajo su vida política, porque era la época en que Miguel Alemán era candidato a la presidencia.

A pesar de que, durante una época, Adolfo vivió en la misma calle que Alemán, siempre había habido pique entre ellos. Cuando hay talentos así, siempre hay un pique fuerte. Adolfo no le caía muy en gracia a Alemán. Además, como era abogado de nuestro sindicato y nos habíamos salido de la CTM, y Alemán la necesitaba más que a cualquier otra cosa, todo esto hacía que la candidatura de Adolfo encontrara dificultades.

Fue durante la campaña de Alemán que inauguramos el sindicato. Teníamos a un general y abogado que tenía ligas con Miguel Alemán: Héctor Ponce Sánchez, quien diario cenaba con nosotros.

En una ocasión, el licenciado y general Ponce Sánchez dijo:

—Tengo un recado del licenciado Alemán. En su campaña presidencial por El Bajío, le gustaría la colaboración de ustedes para tener éxito; particularmente en León, Guanajuato y Guadalajara.

Planteó que en León se hiciera una corrida de toros y una función teatral.

El comité ejecutivo aprobó apoyar la campaña de Miguel Alemán. Se hizo la corrida, en la que torearon *Cantinflas* y Roberto Soto, y cantaron Jorge Negrete y Pedro Vargas. Armaron todo aquello en grande. Después, acompañaron al candidato a Guadalajara. Alemán salió al balcón con *Cantinflas* y Jorge Negrete a saludar al pueblo. No sé exactamente cuáles eran los problemas de Alemán en esa zona, pero con la ayuda de los artistas se pavimentó el camino.

Un día le pregunté a Adolfo cómo iba su candidatura:

—¡Ay, hermano! —me contestó—. Ahí estamos, jalándole, a ver qué podemos hacer.

Le pregunté si le molestaría que ayudara en algo y me respondió que cualquier ayuda era buena. Hablé con *Cantinflas* y le expliqué la situación:

—Mi primo, el abogado López Mateos, a quien usted conoce muy bien, se lanza para senador.

Cantinflas me propuso hablar con el coronel Carlos I. Serrano, quien durante la campaña y también después era el brazo derecho de Miguel Alemán. Fuimos a ver a

Serrano y le recordamos que habíamos ayudado al licenciado Alemán cuando lo necesitaba. Le explicamos que ahora nosotros necesitábamos su ayuda para obtener dos senadurías. Una era para Juan José Rivera Rojas, secretario general de los electricistas, quien nos había ayudado a obtener nuestro permiso laboral. Con todos los antecedentes, ya que éramos tan influyentes y estábamos tan cerca de Alemán por lo que había pasado en el Bajío, nos había pedido que tratáramos de obtenerle una senaduría. La otra senaduría era para López Mateos. El coronel Serrano dijo que él no podía decidirlo, pero que lo hablaría con Alemán.

A los pocos días nos dijo:

—La senaduría de López Mateos, hecha. La de Rivera Rojas, a medias, porque yo voy a ser candidato a senador y él será mi suplente.

Con esto Adolfo entró en firme para la senaduría y la hizo. Si no la hace, no llega a la Presidencia de la República. Así es como da vueltas la rueda de la fortuna, porque vuelve al mismo plano igual que la vida.

Ya desde entonces jugábamos canasta gratis, "al insulto", como decía Adolfo. El doctor José Álvarez Amézquita era mi compañero y Roberto, mi hermano, era compañero de Adolfo. Jugábamos sábados y domingos. Nos dábamos los agarrones de la vida. Todavía siendo Adolfo presidente seguimos jugando. Cuando enfermó, se terminaron las partidas.

Los sábados nosotros comíamos en casa de Adolfo y los domingos él venía a nuestra casa con toda la familia. Llegaba a las once de la mañana y tomaba el sol y luego su regaderazo. Fue una relación muy bonita que duró toda la vida.

Un domingo le pregunté a Adolfo qué película habían visto el día anterior.

—*Cinco fueron los escogidos*.

—¡Ah! —le dije—. Me interesa, porque se hizo aquí en coproducción con los americanos, y ¿qué tal?

—Yo fui uno de ellos, había cuatro más, personas del público…

El día anterior a la toma de posesión del presidente Ruiz Cortines, cenamos en la casa de Manuel O. Padrés, director del periódico *El Popular*. Él me informó que Adolfo López Mateos obtendría la cartera de Gobernación al día siguiente.

Como nos desvelamos, me levanté muy tarde y me fui al jardín a tomar el sol y no me enteré de la ceremonia para nada. A mediodía, el primero en llegar a la comida fue Adolfo, me levanté rápidamente y lo felicité por su cargo en Gobernación.

—No, qué va… Me tocó bailar con la más fea: me dieron la Secretaría del Trabajo. Dame un coñac.

Fuimos a mi cantina, se lo serví, brindamos y le hice la pregunta:

—¿Qué piensas de la Secretaría del Trabajo?

—La Secretaría del Trabajo, como principal tarea, es ver que se cumpla la Ley Federal del Trabajo, que es la que protege los intereses de los trabajadores.

Rápidamente le di un abrazo y le comenté:

—Me da mucho gusto que estés en ese cargo. En el sexenio pasado el derecho de huelga fue totalmente atropellado. No ganamos una sola huelga…

—No me disgusta el cargo, lo que me preocupa es no haberlo sabido antes, pues ahora me va a tomar, por lo menos, tres meses de preparación.

De chicos, a Adolfo y a mí nos gustaba el box. Yo conocía a todos los boxeadores por afición. Cuando Adolfo era secretario del Trabajo, nos invitaba al box. Le encargaba los boletos a un amigo suyo muy querido, creo que era Gustavo Díaz Ordaz. Íbamos en el coche, y su chofer nos dejaba en la puerta, donde nos esperaba el licenciado Díaz Ordaz con los boletos. Se saludaban con mucha amabilidad. Díaz Ordaz nos daba los boletos y se despedía, no sé si no le gustaba el box o si no lo invitaban. Con Adolfo íbamos a todas las peleas importantes. No a la Arena Coliseo, porque era muy difícil la operación y allí el público era un poco pesado. Adolfo y yo teníamos los mismos gustos, muchas cosas en común: el juego de canasta, el box, las señoras, la cosa sindical.

Un día, el tío Juan A. Mateos, el astrónomo, ya de noventa y tres años, fue a ver a Adolfo, cuando aún era secretario de Trabajo, para pedirle fuera su testigo y vigilara que se cumpliera su voluntad testamentaria: legó quince millones de pesos a un asilo de ancianos en Tlalpan; la mitad de su biblioteca al Astronómico de Tacubaya, y la otra mitad a su entrañable amigo el ingeniero Gallo, siempre y cuando éste regresara un telescopio que era propiedad del Astronómico de Tacubaya.

Después de ser secretario de Trabajo, el PRI lo designó candidato a la presidencia. Inició su propaganda y preparó su gira por la República Mexicana.

En casa, la tía Cuca, hermana de la mamá de Adolfo, que tenía entonces noventa y dos años, fue visitada por docenas de periodistas ávidos de saber detalles de la vida del candidato desde que era pequeño. Antonieta, mi esposa, y yo, fuimos en ese momento a visitarla, sabiendo desde luego del asedio de la prensa. Le pregunté como se sentía:

—Pues de salud, bien, pero todo gastado, estoy un poco cansada.

—¿Por qué?

—Es que los periodistas me han venido a preguntar muchas cosas sobre Adolfo... por su nuevo empleo.

En una ocasión en que estábamos varias personas reunidas en su casa, me preguntaron:

—Si no hubiera sido fotógrafo, ¿qué le hubiera gustado ser?

—Director de la Orquesta Sinfónica.

De esta manera, cada quien iba diciendo lo suyo, hasta que le preguntaron a Adolfo:

—A usted, señor presidente, de no haber sido abogado ni presidente de la República, ¿qué le hubiera gustado ser?

—Casanova, ni hablar.

Adolfo fue un presidente con carisma. Era querido y respetado por el pueblo. Cuantas personas lo trataban, lo querían y admiraban su talento, su cultura, su gran sentido del humor y también, quizá lo más importante en un buen gobernante y algo excepcional en este siglo... ¡su honestidad!

CAPÍTULO VII. B. TRAVEN

Cuando tuvimos noticias de la guerra en España, formamos un grupo de simpatizantes con el pueblo español y la República. Éramos muchos los que tratábamos de ayudar dando el respaldo de nuestros nombres y cualquier otra cosa que pudiera ayudar a sostener una noble causa. Llegaban unos carteles formidables, con ilustraciones extraordinarias: "No pasarán". Desgraciadamente no ganó el partido que esperábamos y el general Cárdenas tomó la decisión de invitar a los republicanos españoles a venir a México. La representación que fue a traerlos estuvo encabezada por Isidro Fabela, nuestro tío político.

Muchos de los recién llegados empezaron a trabajar en el cine: los colocamos en los noticiarios, colaboraron haciendo argumentos y adaptaciones. Tanto en España como en México debemos estar orgullosos de este grupo, cuya aportación cultural a nuestro país ha sido enorme. Tuve el honor de ser nombrado miembro honorario del Comité de la Federación de Republicanos Españoles en México, algo que me ha enorgullecido toda mi vida. Muchas veces me han preguntado, con cierta sorna, con qué fin les daba un apoyo tan obstinado. Mi posición obedece, sencillamente, a que quiero rendir pleitesía y mostrar mi respeto a un grupo de personas que por sus ideales tuvieron que abandonar amigos, país, familia y posición económica, cosa que me parece admirable: no sé si, en un momento como ése, yo podría responder en la forma honorable y decente en que ellos los hicieron.

En 1955, cuando María Félix se fue a filmar a España tres o cuatro películas, me ofrecieron la fotografía, y me negué. Una vez, mi amigo Roberto Gavaldón fue a España y me mandó un telegrama que decía: "Producción ambiciosa, tres idiomas, me proponen dirigir. Quiero que tú fotografíes. Historia magnífica, actúan Jean Gabin y Dolores del Río. Filmación en Madrid, manda condiciones especiales a vuelta de cable". Mi respuesta decía: "Gracias por la oferta. Para los buenos asuntos y los buenos amigos no tengo condiciones especiales. En caso de filmarse en Madrid iré, siempre que quites a Franco del reparto". Por supuesto, no llegó a sus manos, le tuve que mandar una carta certificada por otro lado, explicándole.

Regresamos a 1937. Estábamos a la búsqueda de buenos asuntos para realizar mejores películas cuando un amigo mío, el escritor Rafael Muñoz, nos recomendó una obra que no conocíamos: *El puente en la selva*, de Bruno Traven. Fernando de Fuentes me dijo:

—Sé que tu cuñada Esperanza López Mateos está en cuestiones de libros, traducciones y ediciones. A ver si ella nos puede informar cómo nos comunicamos con este Traven para conseguir los derechos y poder realizar *El puente en la selva*. Es una historia magnífica.

Esperanza aceptó y se dirigió a Alfred Knopf, el prestigiado editor de la obras de Traven en inglés. Era el año de 1938. Le mandó una carta donde le explicaba que el mejor director de cine en México, Fernando de Fuentes, y su cuñado, que era fotógrafo de cine, se interesaban en comprar los derechos de aquella novela para realizar una película. Por medio de Knopf, Traven contestó que sabía que el cine mexicano estaba dando sus primeros pasos y no consideraba que pudiera realizar su obra a la altura que él deseaba. Cuando la industria creciera un poco, no tendría inconveniente en dar los derechos al cine mexicano, pero por el momento se negaba.

Nos dio mucha pena, pero el asunto no quedó ahí. Como nadie sabía dónde vivía Traven, ni quién era, Esperanza le mandó una carta a Knopf, proponiéndole encargarse de la traducción y edición de la obra de Traven en español. Había ya un par de libros, muy mal traducidos, pirateados en Argentina. Le pasaron la carta a Traven, que contestó:

—No creo que una mujer tenga la fuerza necesaria para presentar las escenas dramáticas y ser fiel a mi lenguaje. Dígale a la señora López Mateos que no.

Cuando Esperanza quería una cosa la lograba, así que volvió a escribir, mandando su currículo y una carta, más o menos así: "No soy traductora de casa, soy traductora profesional. He hecho trabajos para Espasa Calpe, he traducido a Freud, tengo varias cosas que le puedo presentar. La propuesta que le hago es la siguiente: escoja usted la obra que quiera y la traduzco sin ningún compromiso; usted la lee y si ve que no he podido con ella la tira y tan amigos como no lo somos ahorita".

Traven aceptó y le pidió la traducción de *El puente en la selva*. Cuando terminó, la acompañé al correo y mandamos aquel tambache de papeles. Como a los tres o cuatro meses llegó un aviso del correo y fuimos a ver. Esperanza pensó que le regresaban su trabajo y que a Traven no le había gustado, pero resultó todo lo contrario: cuando abrimos el paquete encontramos una carta felicitándola por la traducción y autorizándola a continuar con el resto de sus libros y a editarlos. Traven, además, la nombraba su representante para toda América Latina.

Traven se rodeaba de misterio. Una revista de Estados Unidos había ofrecido diez mil dólares a quien mandara un retrato suyo, pero nadie lo había logrado. Esperanza era muy reservada para ciertas cosas, pero un día por casualidad nos platicó que lo había conocido y lo veía con cierta frecuencia. Era una persona ya mayor, que usaba nombres supuestos. Un día, Esperanza estaba un poco enferma y me llamó:

—Tengo una cita con el señor Traven en un café de la calle de Ámsterdam, pero no puedo ir. Ve tú y explícale que estoy enferma, pero que te entregue a ti unos documentos que me tiene que dar.

Llegué al café y vi a un señor que correspondía a la descripción de Esperanza: ojos azules, pelo blanco, cara rasurada. Estaba solo en una mesa. Llegué y le pregunté si era Hal Croves.

—No.

Un "no" rotundo que me dejó paralizado. Busqué un teléfono para hablarle a mi cuñada, pero cuando regresé, había desaparecido.

Posteriormente Esperanza nos lo presentó a mi hermano y a mí, diciendo: "Él es Mauricio". Cuando se marchó, le pregunté a Esperanza: "¿Por qué Mauricio?, ¿qué no es Traven?". Ella me respondió: "Sí, es Traven, pero yo lo llamo por su verdadero nombre. Es hijo de uno de los dirigentes de la Allgemeine Elektrizitäts Gessellschaft. Su apellido es Rathenau…" Surgió una gran amistad; cada vez que venía a México nos hablaba. No tenía ni un amigo ni una amiga ni nadie; en ese momento éramos los únicos con quienes hablaba. Vivía en Acapulco, en un terrenito de treinta mil metros cuadrados que había comprado. Era una selva, y vivía con más de treinta perros, sin luz eléctrica, pues trabajaba con luz de petróleo. Tenía un Chevrolet 1926 y estaba orgulloso de que aún caminara. Cuando llegaba a México se metía en hoteles y daba nombres falsos, lo que preocupaba a Esperanza:

—Ya está muy grande —me dijo—. Un día le puede dar un ataque o alguna cosa así y no sabremos de él. ¿Por qué no le ofreces tu casa de Coyoacán para cuando venga?

Yo había comprado un terreno en Coyoacán, grande y lleno de árboles, en el que mi gran amigo Manolo Fontanals, escenógrafo de la mayor parte de nuestras películas, construyó la casa con un hermoso diseño. La casa la cuidaba una familia a la cual le di instrucciones de que sólo el señor Traven, que les presenté, podría vivir allí el tiempo que quisiera.

Estaba feliz, pues el jardín siempre fue hermosísimo y había doce gansos y dos perros pastor alemán. Le encantaban los animales y les traía su pan a los perros. Fue el primer habitante de la casa en que vivo ahora.

En 1951 viajé a Chiapas en búsqueda del río para filmar *El puente en la selva*. Salimos en dos coches Julio Bracho, Felipe Subervielle, Daniel López, mi hermano Roberto y yo, acompañados de B. Traven.

Al pasar por cierto lugar donde bajamos a tomar refrescos, B. Traven me dijo jalándome a un lado: "Aquí adelante está la tumba de Cuauhtémoc… sólo unos indígenas y yo lo sabemos...". Después llegamos a San Cristóbal de las Casas. Visitamos el Museo de Franz Blom, donde fui abordado rápidamente por mi amiga la gran fotógrafa Gertrude Duby, esposa de Blom, quien secretamente me dijo que me iba a presentar al misterioso B. Traven y me llevó con Franz Blom: "Es él...". Traven se quedó afuera, no quiso entrar, pero a la salida lo jalé a un lado y le dije que por qué no entraba, que le iba a presentar a B. Traven, el dueño del museo.

La gente se interesaba por descubrirlo y saber detalles de su vida. Él decía que el ser humano no tiene ninguna importancia, pues lo único que cuenta es la obra que realice, y temía causar alguna decepción. Desde luego que esto sólo servía para incrementar la curiosidad y causaba una serie de molestias. Un día, Esperanza me previno de que toda nuestra correspondencia estaba siendo abierta y fiscalizada, sin que se supiera por quién. Al poco tiempo apareció el peine: un señor llamado Luis Spota se encargaba de revisar las cartas e incluso había conseguido una llave para abrir una caja que Traven tenía en el Banco de México. Todo esto en busca de una pista que permitiera localizar a Traven. Así, se dio cuenta de que había una extraña correspondencia con una señora Martínez, Apartado Postal núm. 45, Acapulco.

Montó una guardia ahí y cuando el señor Traven llegó a recoger sus cartas, había un fotógrafo del *Hoy*, *El Gordo* Díaz, esperándolo. Además, abrieron una carta que yo había mandado en papel timbrado, junto con un cheque para el señor Joseph Weider, representante de Traven en Suiza. Todo esto se publicó en el *Hoy* para probar que el señor Croves era Traven. Las leyes no sirvieron de nada, pues aunque pusimos una demanda no pasó nada. Croves nunca aceptó que él fuera Traven, pero abandonó Acapulco para no seguir soportando a los periodistas. Vino a México y tras unos años de estar vagando por todos lados, se casó y se estableció definitivamente aquí. Por cierto, quiso obsequiar su terreno de Acapulco al gobierno, para que se hiciera un parque, pero no hubo manera de llegar a un acuerdo y finalmente la señora Martínez, que algo tenía que ver con él, se quedó con la propiedad.

Existía una serie de mitos alrededor de él: su amistad con Adolfo López Mateos, por ejemplo. También se decía que bajo el seudónimo de B. Traven se ocultaba todo un grupo de escritores. Él contribuía mucho a crear la duda: todas sus cartas eran escritas a máquina y llevaban una firma ilegible. Tenía dos pasaportes norteamericanos con nombre diferentes, aunque parecidos, uno que afirmaba que había nacido en Chicago y el otro en San Francisco. En realidad era alemán, anarquista, se había ido de Munich y había cambiado de nombre.

Ahí desempeñó varios oficios: fue actor y periodista. En 1911 se fue a registrar con la policía de Düsseldorf y dijo que era inglés de nombre Ret Marut. Unos años después estalló la guerra y los ingleses se convirtieron en el principal enemigo de Alemania. "Ret Marut" fue a la estación de policía a aclarar el error:

—Hay una equivocación, no sé si de ustedes o mía, no vale la pena averiguar. Yo no soy inglés, sino norteamericano, y con este lío de la guerra no quiero ser confundido.

Como es natural, le pidieron documentos que acreditaran lo que decía. Por desgracia, su acta de nacimiento se había "perdido durante el terremoto de San Francisco en 1911, que destruyó todos los papeles de la familia". El caso es que le creyeron y lo registraron como norteamericano.

Inició la publicación de un periódico que atacaba al régimen alemán, ligado a la Liga Espartaco, a Rosa Luxemburgo, Karl Liebknecht, Franz Mehring, Julian Marchlewski, Anton Pannekoek. Al terminar la guerra lograron establecer la primera república socialista en Alemania, pero a los cuatro días fueron atacados (creo que Hitler iba de teniente en el ejército agresor) y fusilaron a mucha gente, empezando por Liebknecht. Aunque "Ret Marut" no pertenecía propiamente al grupo, era miembro del Comité de la República Socialista, tenía las mismas ideas y estaba bastante comprometido. Cuando entraron las tropas se encontraba en un café, con un amigo. Los soldados pasaron echando bala e hirieron a una persona que cayó muy cerca. Mientras la metían al café y buscaban un médico, el amigo convenció a "Marut" de que huyera. Caminó un par de calles, lo aprehendieron, le hicieron un juicio sumario y lo condenaron a muerte.

En este punto hay dos versiones. Los biógrafos de Traven dicen que allí mismo, en pleno juicio, el pueblo irrumpió y logró liberarlo. Yo sé otra, tal vez más real: después de sentenciarlo lo esposaron con otro prisionero (o quizá con un policía) y lo metieron a un camión. El chofer y su ayudante eran militares y viajaban en la cabina, separados por completo de Traven y su acompañante. Alguien se había encargado de dejar la puerta mal cerrada, de modo que bastó con patearla a medio camino y saltar desde el camión en marcha. En ese brinco se partió la cabeza el otro, y Traven tuvo que arrastrar el cadáver hasta que le quitaron las esposas. Yo creo esta historia porque me la contó Esperanza, que estaba muy al tanto de su vida… y porque Traven tenía una cicatriz enorme en la muñeca.

Se cree que su novela *El barco de los muertos* es autobiográfica: él sería el protagonista, exceptuando la escena de la muerte. Tuvo que salir de Alemania y viajar sin pasaporte ni dinero. Estuvo en Londres, en Chicago y en San Francisco y luego se fue al sur de México, donde descubrió las ruinas de Bonampak. Mandó un telegrama de aviso a la SEP, pero no le hicieron caso y tuvieron que pasar quince o veinte años antes de que Hans Blom y sus arqueólogos llegaran a esa zona, pero la gente de la región se acordaba del "gringo" que había estado mucho tiempo antes viendo las ruinas, e incluso hay una calle con su nombre en Chiapas.

Cuando se estableció en México, se dedicó a escribir. Mandaba sus obras a los agentes de Nueva York y Suiza y tenía muy buenos ingresos, pues sus libros fueron traducidos a treinta y seis idiomas. Ya cuando estaba casado, en 1961, el *Stern Magazine* y el *Quick Magazine* de Alemania financiaron una investigación para encontrarlo. Enviaron al periodista estrella Gerd Heidemann, el mismo que más tarde falsificó los documentos de Hitler para *Stern Magazine*.

Acabaron por coparlo en un departamento de la calle de Durango. Me llamó muy alarmado:

—Gabriel, tienes que ayudarme. Háblale al presidente. No tengo miedo de morirme, he vivido mucho. Pero si me pescan y me meten en un avión a Alemania... a eso sí le tengo miedo.

Como Adolfo lo conocía, me dijo que no tuviera miedo y me dio un teléfono especial, que estaba en su buró y se usaría sólo para eso. Finalmente Traven tuvo que dar una entrevista, aunque jamás aceptó ser quien era:

—¿Qué les importa quién es Traven? Vamos a suponer que sea hijo del káiser Guillermo II...

El *Stern Magazine* publicó fotomontajes que mostraban a Traven parecidísimo al Káiser. Tomaron fotos de su recámara, de la casa, en fin, de todo el ambiente que lo rodeaba. Él se sintió feliz de tener la protección del presidente y compró una casa en Paseo de la Reforma, donde vivía con una enorme cantidad de perros.

Su esposa siempre afirmó que era norteamericano, pero estoy seguro de que era alemán. Es muy difícil que un extranjero pueda actuar y dirigir un periódico en alemán, y además hay varios detalles relacionados con mi hijo Gabriel, que lo prueban. El día que nació yo estaba con Traven en el hospital. Nos avisaron que era niño y entramos a verlo:

—¿Puedo cargarlo?

—Cómo no —le contesté.

—Es la primera criatura que tengo en mis manos.

Quiso a Gabriel como si fuera su hijo. Al día siguiente le escribió un texto muy hermoso, y en cada cumpleaños le regalaba un bono del Ahorro Nacional. Si yo le avisaba que iba a ser cumpleaños de Gabriel se enojaba, pues decía que se acordaba perfectamente de la fecha. Cuando tuvo que entrar a la escuela buscamos una que fuera laica y seleccionamos el Colegio Alemán. Traven cantaba con él las canciones de la escuela, y además los familiares que le conocíamos eran alemanes, Le prometió a mi hijo regalarle su primer carro cuando cumpliera dieciocho años, y aunque para entonces él ya había muerto, su viuda lo mandó.

También tuvo una muy buena relación con mi mujer. Iban al cine juntos, pero cada quien pagaba su entrada, porque él sólo compraba su boleto. También en el camión, él pagaba sólo su boleto.

Cuando me casé, le mandé un telegrama para invitarlo, pero no llegó. Poco después recibí una carta: "Mi querido Gabriel, no sé cómo vives. ¿No sabes que en Acapulco los telegramas tardan quince días en llegar? No me enteré a tiempo de tu matrimonio, pero ahorita voy a México a darles un abrazo".

Muchas veces comía con nosotros. Era bastante sordo y no resultaba fácil platicar con él, pero me contaba muchas cosas mientras dábamos la vuelta por el jardín, pues estaba seguro de que ahí no había micrófonos ni nada por el estilo.

Murió en 1969, en su casa. Fue algo muy dramático. Yo estaba trabajando en Cuautla, haciendo una película con Shirley McLaine y Clint Eastwood: *Two Mules for Sister Sara*. Mi esposa me avisó que el señor Croves (Traven) estaba muy enfermo, y cuando llegué lo vi, efectivamente, muy malo. Me dijo que se sentía cerca de la muerte.

—No, yo vine a tomarme una copa contigo. A ver, que nos den un whisky.

La esposa se alarmó muchísimo, pues lo adoraba y lo estaba atendiendo con gran cuidado. Sin embargo, él dijo que el whisky no hacía nunca mal y nos lo tomamos. Cuatro días después me mandó a llamar con una urgencia tremenda y fui volando. Entré a verlo y lo encontré doblado, con un dolor tremebundo; estaba solo en su recámara.

Me tomó la mano, me la apretó y no me la quería soltar. Un rato después me pasó un papel pequeño y trató de decirme algo, pero en ese instante la señora abrió la puerta y entró a darle una medicina. Vi que no había más; ya no se podía ni hablar con él. Estuve un rato acompañándolo y luego me despedí. Volvió a apretarme la mano: era el último adiós entre él y yo. Al día siguiente murió. Cuando salí de la casa, abrí el papel y vi que decía en inglés: "Dame cianuro". Ésa es más o menos la historia de mi amigo Hal Croves, Ret Marut, Torsvan Traven, Bruno Traven, ninguno de esos nombres es el auténtico. Yo conozco el auténtico así como la actividad de su familia... Será muy interesante investigar los móviles personales y familiares que lo llevaron por la vida, la incógnita, el anarquismo, el periodismo y la literatura. Su identidad me la platicó Esperanza y en su testamento dejó el verdadero nombre de B. Traven.

Poco tiempo después de que murió B. Traven, se presentó la BBC de Londres para hacerme una entrevista para la televisión sobre su vida... La BBC escogió el emplazamiento de la cámara: yo debía sentarme debajo de un gran fresno algo alejado de la ventana de la habitación de B. Traven, aunque ésta quedaba como fondo. Se instalaron con una cámara de 16 mm, yo me senté bajo el árbol a la espera... pero la cámara no funcionó. El equipo tuvo que regresar al día siguiente con otra cámara. Esta vez sí funcionó.

Esto no resultaría extraño, de no ser porque un año después la televisión alemana se presentó para una entrevista del mismo carácter y eligieron exactamente el mismo emplazamiento de cámara, con la ventana de la habitación de B. Traven al fondo y yo sentado bajo el fresno. La cámara tampoco funcionó el primer día, y regresaron al día siguiente con otra cámara que sí funcionó. ¿Magia? No lo sé, es posible...

De regreso en México del festival cinematográfico de Nantes, en diciembre de 1990, lo primero que hice fue tratar de comunicarme con Rosa Elena Luján —no conozco el nombre de su último marido— para informarle que había yo revelado el verdadero nombre de B. Traven para el diario *Libération* de París.

Ella estaba en California. Hablé con Malú, su hija, a quien le dije de la publicación. No me preguntó sobre el nombre, pero quedamos de vernos en la fiesta de Héctor Vasconcelos. Allí sí me preguntó por el nombre: "Mauricio Rathenau", le dije. Enseguida me hizo un comentario: "Todos siempre le inventan un nombre". Aclaré: "Yo no he inventado nada, tengo documentos probatorios". Para esto, su marido, que es inglés, estaba metiendo la cabeza para oír la conversación, muy interesado. Alguien llegó a saludar a Malú y en ese instante le dije a Antonieta, mi esposa, "Vámonos". A las siete de la mañana del día siguiente, Malú llamó por teléfono, que ya le había comunicado a su mamá todo. Nos dijo que su marido tenía un padrastro alemán que trabajaba para la compañía de electricidad de Emil Rathenau, supuesto padre de Traven, que el nombre que le di podría ser el verdadero. Nos invitó a comer a su casa, para conocer los documentos y más detalles.

Le mostré los documentos auténticos. Los examinó todos con gran interés y nos dijo que su mamá no sabía nada de esto. Incluso se extrañó de nuestra conexión con Karl Guthke de la Universidad de Harvard. Días después le mandé el periódico *Libération* donde aparecía la entrevista. No volvió a llamarme. Luego, a fines de marzo, en su celebración de la cultura y las artes, nos encontramos. Me dijo que había recibido el periódico y dijo: "Muy fría publicación... además, mi mamá eso lo sabía". "¿Sí?", le dije.

Pura mentira de Rosa Elena, en la entrevista marcaba que nuestras relaciones con la señora Luján se habían enfriado después de muerto Traven. Mi relación con ella se terminó porque le levantó un falso muy, muy bajo a mi cuñada Esperanza y ya no volví a llamarle. Ella me llamaba de vez en vez.

Años más tarde, se comunicó para pedirme la línea argumental de Hugo Butler sobre *El visitante nocturno*, obra de B. Traven, un proyecto que yo le pagué a Hugo. Me dijo que iba a Nueva York a ver si la podía colocar. Hasta esta fecha no me ha regresado el guión. Y Malú me informó que ya había vendido los derechos y que la película estaba por empezar. Me dijo que si me interesaba en fotografiar, le dije que no.

La baja falsedad de la señora Luján vino de sus celos infundados, puesto que jamás la conoció, hacia Esperanza López Mateos —la traductora, editora y representante de Traven hasta 1951, fecha en que infortunadamente murió—. B. Traven no volvió a escribir después de los años 1939 o 1940. La señora Luján se casó con B. Traven en 1957.

B. Traven murió en 1969.

CAPÍTULO VIII. MI ESCUELA

Primero observé que la nitidez con que mis ojos veían el paisaje no era exactamente lo que percibíamos en la pantalla… faltaba nitidez; además, los cielos azules eran demasiado claros y nuestras nubes no lucían como deseábamos.

Leí un tratado de la luz, la sombra y el color de Leonardo da Vinci, en el que hablaba del color de la atmósfera. Me sentí intrigado y comencé a usar diversos filtros. La película era desde luego en blanco y negro. La práctica dio resultado: con filtros infrarrojos de distintas densidades obtuve lo que se necesitaba. Por supuesto, había que tomar en cuenta que estos filtros cambiaban y convertían los colores —por ejemplo, un sarape rojo salía blanco, a los labios de las actrices había que ponerles, en vez de rojo, café, etc.—, pero el azul del cielo salía oscuro y las nubes lucían maravillosamente blancas. Lo más importante era que penetraban y hacían desaparecer pequeñas neblinas y había una buena profundidad visual. Logramos pasar a la pantalla una interpretación de nuestro ambiente, "la región más transparente", y en los festivales europeos hablaban de "los cielos de Figueroa".

Antes había estudiado la luz, la composición, las texturas, las perspectivas. Jan Vermeer era, por su perfeccionismo, el gran maestro a seguir en lo que se refiere a la luz, los medios tonos y las sombras; Rembrandt, así como la mayor parte de los pintores flamencos, fue la meta para lograr el ambiente de claroscuros, y en cuanto a la perspectiva, Velázquez naturalmente. Tambien consideré los paisajes de Turner, Van Gogh, Gauguin; las sombras impactantes de De Chirico, maestro del surrealismo, y la ambientación de Manet.

Lo más adecuado para mi estilo era el trabajo de los grabadores: Durero, Goya, Köllwitz, Orozco, Posada, Méndez y Siqueiros. Para lograr la fuerza y el ambiente buscados, daba menos exposición de la requerida y así aparecía el grano de la película, creando una especie de pantalla.

Lo más difícil en blanco y negro era conseguir el volumen de las figuras y la arquitectura, que obtenía a base de claroscuro y perspectiva.

Mi escuela arranca en el expresionismo alemán de los años veinte, especialmente tratándose de interiores, con películas como *El gabinete del doctor Caligari*, *Nosferatu*, *Metrópolis*, *Fausto*, *Sigfrido*, y directores de la talla de F. W. Murnau, Fritz Lang, Karl Freund, Robert Wiene, Ernst Lubitsch, Ewald André Dupont, entre otros. Aunque también con Serguei Einsenstein y Eduard Tissé, en la URSS, con los exteriores de *Acorazado Potemkim* o *Alexksandr Nevskiy*, y los interiores de *Iván El Terrible*. Mas tarde, en la década de los treinta, me fijaría en el cine de Hollywood, con *Shanghai Express* (1932), de Josef von Sternberg y la fotografía de Lee Garmes y, en la década de los cuarenta, con *Citizen Kane* (1941), bajo la dirección de Orson Welles y la fotografía de Gregg Toland.

Y en una de las primeras películas fotografiadas por Toland, *Las manos de Orlac* (1935), dirigida por Karl Freund, quien a su vez había realizado la fotografía de esta misma historia en Alemania. Toland también recibió la influencia del expresionismo alemán en *Ciudadano Kane*. Todas estas películas fueron fotografiadas en blanco y negro.

El expresionismo nace como una reacción frente a otros movimientos: el impresionismo y el dadaísmo que reflejaban diversas ambigüedades, y buscaban vulnerar la existencia del mundo objetivo para lograr un propósito subjetivo, tendían hacia la deformación y el retorcimiento de las formas objetivas, distorsionaron la perspectiva arquitectónica, crearon ambientes alucinatorios, visiones goyescas.

Siempre he pensado en la diferencia entre el blanco y negro y el color. El blanco y negro es como el grabado: fuerza, sueño, magia y directo si se usa para crítica social; la prueba está en Picasso, amo del color, que presentó su cuadro político *Guernica* en blanco y negro. El color corresponde a la pintura mural o a la de caballete, y no compite con el grabado; tiene lo suyo.

Mi preparación en el color comenzó observando las primeras películas a color rodadas en México. Estuve invitado en la filmación de *Sangre y arena*, dirigida por Rouben Mamoulian y fotografiada por Ray Rennahan, y después en *Un capitán de Castilla*, dirigida por Henry King y con foto de Charles G. Clarke. En esta última, al principio el fotógrafo era Joe LaShelle, a quien cambiaron porque no querían un trabajo artístico, y LaShelle consideraba el balance igual al del blanco y negro (algo que en Holywood no aceptaban en ese momento).

Luego vi, primero en México y luego en Londres, a Jack Cardiff, quien me dio buenos consejos. Mi primera película en color fue *La doncella de piedra* (1956), escrita por Rómulo Gallegos y dirigida por mi amigo Miguel Delgado. No estuvo mal ese primer trabajo, pero teníamos dificultades para progresar, pues el proceso de revelado e impresión se hacía en Hollywood y había que esperar los resultados de una o dos escenas impresas en color, y el resto en blanco y negro.

Teníamos el maravilloso apoyo del director de los laboratorios de Consolidada, mi entrañable amigo Sid Solow, quien después supervisó con gran interés el proceso de color de los Estudios Churubusco. Esta colaboración no la pagamos con nada. Así es que nos ha tomado bastante tiempo poder ver nuestro trabajo en color y entenderlo y supervisarlo. Aquí, gracias a la gran experiencia de Celiz Ruiz de Churubusco, hemos salido adelante con películas como *Two Mules for Sister Sara*, dirigida por Don Siegel; *María*, escrita por Jorge Isaacs; *Coronación*, escrita por José Donoso; *Divinas palabras*, de Valle Inclán; *Los perros de Dios*, escrita por Josefina Vicens, y *Under the Volcano*, de Malcolm Lowry. Todas estas películas han sido procesadas en el laboratorio de los Estudios Churubusco; en las películas norteamericanas, únicamente el revelado del negativo se hizo aquí, pues las copias se procesaron en Estados Unidos.

Ojalá algún día logremos un "color mexicano", como lo han impuesto en el mundo de la pintura Rufino Tamayo y *Chucho* Reyes, y Luis Barragán en la arquitectura. Algún día lo crearemos...

CAPÍTULO IX. ARTE Y REVOLUCIÓN

Mi vinculación con el movimiento artístico que produjo la Revolución se estableció primero en el Conservatorio Nacional de Música. Tenía el mejor profesorado de México: Julián Carrillo, que lo dirigía, don Carlos Julio Meneses, Manuel M. Ponce, José Rocabruna, Pedro Valdés Fraga... en fin, un formidable grupo de músicos. En esa época la vida era preciosa en el Conservatorio.

El presidente Adolfo de la Huerta estaba muy ligado a las artes. Cuando fue electo, todo el Conservatorio se puso feliz; incluso dio muchas becas para estudiar en Europa. Así se dio un primer vínculo entre la música y el proceso revolucionario.

Más tarde, cuando José Vasconcelos llegó a la Secretaría de Educación Pública impulsó la pintura mural, la escultura, la literatura; músicos, pintores, poetas: todos estaban ligados. Era un grupo importante e influyente en México. Posteriormente, la mayor parte de este grupo se unió a la campaña presidencial de Vasconcelos. Yo no tenía ni tiempo ni edad para meterme todavía en ninguna de estas cosas. Además, estaba muy necesitado y trabajaba como loco. Sin embargo, observaba todos los movimientos políticos y artísticos.

Después vino la revolución cristera. Fue un levantamiento bastante fuerte que trajo muchas cosas consigo: el asesinato de Obregón, el cierre de las iglesias. Al mismo tiempo, salía al público el Partido Comunista.

Cuando entró Portes Gil a la presidencia, arregló las cosas con la Iglesia, pero con esto surgieron los sinarquistas para combatir directamente al comunismo. No sé cómo el gobierno pudo permitir que existiera el grupo de los Camisas Doradas. No tenía por qué existir un grupo así. Eran de a caballo. Traían un sombrero de petate y armas. Un primero de mayo, en el año de 1934 o 1935 más o menos, hubo una batalla campal en el Zócalo entre los sinarquistas y los obreros. Los sinarquistas se presentaron con la intención de desfilar. Los obreros lo impidieron utilizando taxis para bloquear la entrada. Hubo muertos. Uno de los organizadores por el lado de los obreros fue David Alfaro Siqueiros. De esto hay magníficas fotografías en el Archivo Casasola.

En esa época, la CROM de Luis N. Morones —que fue donde empezó Vicente Lombardo Toledano— tenía un empuje tremendo. Desgraciadamente, hasta la fecha, el gobierno ha sabido "fintear" a las organizaciones sindicales y, de alguna forma, las "envuelve en huevo" y las controla.

Fue una época interesante, de gran inquietud política, artística y religiosa, que son tres fuerzas tremebundas.

Está comprobadísimo que en ese tiempo los movimientos contra el gobierno estaban respaldados económicamente por las compañías petroleras extranjeras. Así que cuando el general Lázaro Cárdenas nacionalizó la industria petrolera, se acabaron los movimientos. El último levantamiento fue el de Saturnino Cedillo, en 1938. Lo tenían controladísimo. Sabían que se iba a levantar y lo pescaron en el momento de hacerlo. No ha habido más levantamientos, porque ya no están los señores que ponían el dinero.

En esa época hubo de todo. El inicio del cine fue una lucha con la tecnología, nos hacían falta elementos. Había que luchar para crear un mercado, hacer una industria que tuviera interés. Y se logró.

Cuando entré al cine, todos estábamos haciendo nuestros pininos y todo lo planeábamos. La primera etapa fue muy interesante: con Fernando de Fuentes que era muy buen director, muy inquieto, y con Juan Bustillo Oro, quien desde la preparatoria ya era autor —en esa etapa estrenó en el teatro Colón, con María Conesa, una obra que llamó *Kaleidoscopio* (1921). Filmaron *El prisionero trece* (1933) y *El compadre Mendoza* (1934), películas ambas muy mexicanas, muy bien hechas. Esto empezó a lograr que el público se interesara en el cine.

Después vendríamos nosotros con *Allá en el Rancho Grande* (1936). La música, las canciones tradicionales, reforzaron la industria tremendamente. Seguimos trabajando, buscando hacerlo mejor, presentar mejores cosas. Fue entonces que hicimos *La noche de los mayas* (1939), de Antonio Mediz Bolio, que nos dio *Chano* Urueta, y *Los de abajo* (1939), de Mariano Azuela.

Sin haber hecho ninguna asamblea ni nada, sino por la propia energía de cada uno, desarrollamos nuestras actividades con esta "mística" mexicana. Los que menos problemas tenían eran los pintores, pues ya habían desarrollado la pintura mural, que era un arte completamente mexicano. En el cine, nosotros pusimos nuestro grano de arena... En lo que toca a mi parte, a la fotografía, se logró una imagen mexicana que era reconocida en todos los festivales cinematográficos, que se pudo imponer en el mundo.

Un profesor argentino que trabajaba con Luchino Visconti, Adelqui Camusso, un día vino a la casa y me platicó lo siguiente: estaban en una reunión para hacer una película de Visconti, *La terra trema* (1948), hacia 1946, 1947 o 1948. En esa reunión, presentaron al fotógrafo, quien preguntó a Visconti qué tipo de fotografía le gustaría, a lo que el director respondió: "Pues como la que hace Gabriel Figueroa". El fotógrafo dijo que la vería y que trataría de servirlo. Se paró y se despidió.

Como el profesor era argentino, Visconti supuso que me conocía y le pidió que me hablara. Sin embargo, en aquella época, la comunicación desde Europa era una cosa un poco vaga y difícil y no fue posible establecerla.

Siento que esta anécdota puede demostrar el interés que despertó el estilo, el contenido fotográfico, la imagen de México que habíamos enviado al extranjero. Pero esto, que sólo es un ejemplo, respondía a una mística general.

En Colombia, cuando el "bogotazo", en abril de 1948, había una exposición de pintura mexicana, que había llevado Fernando Gamboa y en la que participaban Diego Rivera, José Clemente Orozco, David Alfaro Siqueiros y otros. Le prendieron fuego al edificio donde estaba la exposición y Fernando salió con una bandera mexicana y le habló al pueblo. Así fue como sacaron y salvaron la pintura mexicana que se había mostrado allá.

Cuando Fernando regresó a México, los artistas planearon ofrecerle una cena, muy merecida, en el restaurante Santa Anita que estaba en avenida Juárez. En aquella cena estaba toda la intelectualidad mexicana y todo el mundo del arte rindiéndole homenaje a Fernando.

En ese momento, llegó la noticia de que a dos calles, donde estaba el Hotel del Prado, un grupo de sinarquistas había ido a borronear la frase "Dios no existe", que Diego Rivera pintó en el mural. Entonces, David Alfaro Siqueiros, con un vitriólico discurso, invitó a los presentes a ir al Hotel del Prado a repintar el mural. Todos los que asistíamos a la cena fuimos.

Al día siguiente, en la primera plana del periódico, el titular decía: "Diego Rivera y Siqueiros, encabezando a un grupo de comunistas, repintaron el mural del Hotel del Prado". No dieron un solo nombre de los intelectuales que asistieron a la cena, tratándonos a todos de comunistas.

Desde antes, nos reuníamos en la Liga de Escritores y Artistas Revolucionarios (LEAR) en donde daban conferencias fabulosas. Toda la gente de cultura estaba ahí. También participaban los exiliados políticos. En ese lugar conocí a Nicolás Guillén, a Luis Cardoza y Aragón, a Juan Marinello —a estos últimos es importante mencionarlos porque fueron ministros de Educación en Guatemala y Cuba, respectivamente.

Allí conocí a Leopoldo Méndez, fuimos grandes amigos. Iba a su Taller de Gráfica Popular, donde por lo general encontraba a otros amigos entrañables: Pablo O'Higgins, Manuel Álvarez Bravo, Rafael Carrillo, Alberto Beltrán, Alfredo Zalce y otros más. Invitamos a Leopoldo Méndez a participar en el cine. Él veía las películas para después hacer, en una interpretación personal, los extraordinarios grabados que usábamos como fondo de los títulos de nuestras películas. Primero aparecía el grabado y, después de un momento, aparecían sobre él los créditos de la cinta.

Trabajó en *Río Escondido*, *Pueblerina*, *La rosa blanca*, *La rebelión de los colgados*. Nuestra intención, aparte de contar con el valor artístico de sus grabados, era mostrarlos al mundo en los festivales cinematográficos para que se conociera el magnífico trabajo de Leopoldo.

No puedo olvidar mis visitas al Taller cuando preparaban la edición del libro *Pintura mural mexicana* de 1960, que fue impreso en Holanda. Mi impresión, al ver a Manuel Álvarez Bravo, Leopoldo Méndez y Pablo O'Higgins trabajando en sus mesas, con su largo pelo encanecido colgando, fue que sin duda eran unos apóstoles.

Entre los libros de arte que realizó el Fondo Editorial de la Plástica Mexicana, uno de los que más me impresionó fue el de José Guadalupe Posada, impreso en los talleres de Amilcare Pizzi en Milán en 1967. En él se siente el enorme amor que Leopoldo le puso al gran maestro Posada. La edición es bellísima.

El maestro Diego Rivera: gran pintor, gran talento, gran generosidad, gran maestro. Tuve interés en ser su amigo y la suerte de contar con su amistad. Asistía a sus conferencias, a su estudio; él venía a mi casa a tomar la copa.

En 1948, cuando fuimos a Pátzcuaro a buscar locaciones para *Maclovia*, Rivera nos acompañó a Emilio Fernández, María Félix y a mí. El maestro quería quedarse un día más por el tianguis, me invitó a ir con él. Fuimos y tenía una pequeña libretita donde hacía bocetos señalando los colores y copiando el movimiento de los indígenas en acción a una gran velocidad. Doblaba la hoja, hacía otro y otro más. En poco tiempo llenaba una pequeña libreta y yo veía a través de sus ojos lo que los míos miraban pero no veían. Era un privilegio.

En otra ocasión pasamos a recoger al maestro en una camioneta para ir a buscar locaciones. Salió de su casa temprano y lo esperaba una mujer del pueblo:

—Dieguito, te traigo unas figuras.

El maestro tomó una y la examinó.

—¿Cuánto quieres por toda la canasta?

—Dame novecientos pesos.

—No, te daré ciento cincuenta que es todo lo que tengo —le contestó Rivera.

—Bueno, está bien.

Le dio la canasta a la sirvienta y vino a la camioneta. Lo presentamos con un señor que no lo conocía y éste le comentó:

—Maestro, es usted un gran conocedor...

—No, esto es difícil —contestó.

—Vi la forma en que tomó y observó usted la pieza. Sólo por la forma en que usted la tomó se ve luego...

—Mire usted, todas eran falsas, la pieza todavía estaba caliente, por eso le pregunté si todas eran iguales y le ofrecí sólo ciento cincuenta pesos.

—Si eran falsas, ¿por qué las compró usted?

—Y esa pobre mujer, ¿con qué va a comer?... Novecientos pesos era mucho para tirarlas luego...

En los últimos meses de la vida de Frida Kahlo, la visitaba yo seguido. Llevaba mi proyector de 16 mm y en su recámara, pues ya no se levantaba, le proyectaba películas de mi colección, especialmente de Chaplin y otros cortos o alguno de nuestros largometrajes. Cómo la queríamos todos, cómo sufrió y qué grande artista fue.

Cuando nos juntábamos el maestro y yo con María Félix, que era muy seguido, contábamos cuentos, historias y anécdotas. Decía el maestro que por Mixcalco, él siempre seguía con curiosidad a un individuo muy corpulento de gran chambergo y capa negra y que siempre hablaba solo:

—¿Se acuerda usted, Gabriel? Vivía a la vuelta de donde usted y yo vivíamos —me ponía de testigo—. Vi cuál era su casa y, como era muy vieja, por las ranuras del piso se podía observar muy bien. Un día lo vi entrar, corrí rápido arriba, pero cuando me asomé por el piso, él ya estaba acostado y seguía hablando, peleándose, gritando... De repente salió otra cabeza de las cobijas... era su hermano siamés, y lo insultó...

Diego Rivera sabía mil historias y las sabía contar muy bien. Era un gran conversador, un gran mentiroso.

En una ocasión, Fernando Morales Ortiz, talentoso periodista y amigo muy estimado en el medio cinematográfico, cuando era presidente de Pecime nos ofreció a Emilio Fernández y a mí un homenaje en El Taquito, e invitó a los maestros Diego Rivera y José Clemente Orozco, y a muchas otras personalidades. Fue un gran honor para nosotros, y una comida tan cordial y emotiva que nunca podré olvidarla.

El maestro llegó a mi casa un día y al entrar me preguntó si había alguna pieza prehispánica que hubiera adquirido recientemente: "Sí", le dije, y le mostré una pequeña cabeza olmeca montada en un cubo negro. La observó, probó el barro, le dio la vuelta y me dijo: "Es formidable, ¿quién se la vendió?" "Ésos son secretos", le respondí, "fue *El Chacharitas* de La Lagunilla. Bueno, vamos a tomar la copa..." Tomamos la copa y se despidió: "Me voy a trabajar". Al pasar junto a la cabeza olmeca, la tomó diciéndome: "Me la robo, pues, y usted vaya a mi casa y róbese lo que le dé la gana". Yo sabía que era para el Anahuacalli.

La cantidad de metros cuadrados de la obra de Diego Rivera, cinco mil metros murales, sobrepasa a la de cualquier pintor de cualquier época. Los frescos de Chapingo, principalmente, pero también los de la escalinata de Palacio Nacional, la Secretaría de Educación Pública, el mural del Hotel del Prado, el del Palacio de Bellas Artes, etc., constituyen una obra grandiosa.

En estos momentos, 1986, me entero, sin sorprenderme, que en Detroit, Estados Unidos, celebran con gran admiración el centenario del nacimiento del maestro por medio de una gran exposición de su trabajo, así como en la prensa, y la televisión exhibe documentales de sus pinturas y frescos. Honor a quien honor merece.

CAPÍTULO X. LA PERLA

En nuestros momentos de descanso entre película y película, por lo general me iba a Acapulco a descansar allá, a tirarnos a la playa. Era cuando Acapulco estaba muy bonito, pues aún no había la cantidad de construcciones y de hoteles que hay ahora. Realmente eran pocos los hoteles, tres cuando mucho, y eran buenos hoteles, así que había menos cantidad de gente que ahora. Los pelícanos todavía no se asustaban con la gente y volaban ahí, cerca de la playa, dando un espectáculo muy bonito. Uno de los planes que hicimos posteriormente ahí en Acapulco fue *La perla*, en 1945, que escribió John Steinbeck y dirigió Emilio Fernández, Óscar Dancigers la produjo, actuaron Pedro Armendáriz y María Elena Marqués y yo la fotografié.

Nos fuimos como unos quince días antes de empezar a rodar para prepararnos, buscar locaciones y demás, ya después el resto de la gente llegaría y nos pondríamos a trabajar. En esa época, reitero, Acapulco era algo muy bonito con los amigos que estaban allí en ese momento: los Polin, Julia Polin, Concha Hudson, Bono Battani y todos los nadadores del puerto, como el gran Pepe Estrada

—que dobló a Johnny Weissmüller en *Tarzán*—, Clemente Mejía, otro gran nadador, y el inolvidable Apolonio Castillo, un chico excelente que murió por rescatar cosas del fondo del mar. Todos eran chicos excelentes. Y no faltaban artistas de Hollywood que iban muy seguido allá, como Errol Flynn y Tyrone Power, que a la menor provocación estaban en Acapulco y ya pertenecían prácticamente al ambiente.

Pedro Armendáriz se iba a asolear todo el día para tener el tono de acapulqueño que necesitaba. No tomaba una sola copa para estar en buena forma física, pero no dejaba de ir todas las noches, durante la preparación de la película, a los agasajos que nos invitaban. Alicia Grajales, casada con el millonario Beens Baker, alquilaba la casa de los Taylor en Caleta para toda la temporada, y todas las noches organizaba grandes agasajos, en los que Pedro y yo éramos el número estelar por nuestros cuentos y anécdotas. Allí conocimos a Nancy Oaks, guapísima, y al gran fotógrafo George Hoyningen Huene, que había trabajado para *Vogue* y *Harper's Bazaar* y venía a fotografiar un libro sobre México —ya había realizado magníficos libros sobre Grecia, Egipto, África, etc—. Asisitió a la filmación con frecuencia, interesado en estudiar la intensa luz de Acapulco.

No faltaban, pues eran parte del ambiente de Acapulco, Estrella Boissevain, su linda hija Cynthia y don Pedro Corcuera, quien recientemente hizo una magnífica exposición de la obra de Picasso en su edificio de Paseo de la Reforma; creo que aquélla fue la primera vez que lo vimos allí. En México, don Pedro tenía la costumbre de invitar todas las noches a cenar con él a alguna chica. En una de tantas le tocó una semiprofesional. Don Pedro le explicó cuál era el plan: primero ir al Top Room, luego a cenar en el Ambassador's y después al patio del Ciro's a ver el show y tomar más champaña. La chica lo escuchó y le dijo: "Mire, don Pedro, siempre quise salir con usted, pero este plan no puedo hacerlo, pues tengo algo que hacer mañana temprano con mi familia y mi familia es primero. Le propongo lo siguiente: déjese usted de todo lo que propone, deme mil pesos y haga usted de mí lo que quiera". Don Pedro la vio con su monóculo y le contestó: "Te doy quinientos y haré lo que pueda..."

También en Acapulco nos encontrábamos con Teddy Stauffer, dueño de La Perla de Acapulco, desde donde se veía el espectáculo de los clavadistas. John Steinbeck, autor del argumento de *La perla*, estaba todo el tiempo con nosotros. Allí mismo veíamos *rushes* en el cine y desde un principio se sintió el impacto que tendría la película.

Un día, mientras estábamos haciendo *La perla*, veníamos de Acapulco Pedro Armendáriz y yo. Era sábado en la tarde cuando llegamos a Cuernavaca. Decidí quedarme a descansar allí (la filmación se reanudaba el lunes) pero él prefirió seguirse hasta México en su Cadillac. Me fui con el licenciado Alejandro Fernández a tomar una copa al hotel Svástica. Poco después llegó Pedro furioso, porque su coche no caminaba, no podía irse y no había conseguido cuarto en el hotel. Lo tranquilicé, le dije que tenía un cuarto con dos camas y que podía quedarse ahí, si no le importaba. Metió sus cosas y vino a sentarse con nosotros ("dos *gin-fees* para mí, porque quiero alcanzarlos"). Empezó a llegar muchísima gente, y a la hora que volteamos la cara ya eran las doce de la noche. Hacía un rato había llegado el productor de *La perla*, el señor Parker, muy simpático. Le invitamos una copa, él nos invitó otra: "Traiga usted otro round de copas", le dijo al mesero, "y a la hora que vea que van a la mitad trae el siguiente". Tomamos horrores. Llegaron Francis Alstok, Esther Fernández, Óscar Dancigers, *El Panzón* Sánchez Tello, Pascual García Peña, un cónsul cubano que no sé de dónde salió con unas transparencias y un proyector y quería enseñárselas a todo el mundo, cuando, como es natural, con las copas lo que menos queríamos era ver transparencias.

Como a las doce de la noche, fuimos a cenar a un lugar que se llamaba El Cadillac, un magnífico restaurante que estaba en un primer piso. Llegamos y nos pusieron una mesa. Yo iba con una amiga norteamericana, y como nos tocó contra la pared, me saltaba la mesa con ella para salir a la pista de baile. Estábamos bailando muy tranquilos cuando oímos un grito y alcanzamos a ver a Pedro dándole un golpe a un señor que se retiraba con un círculo de sangre en la nariz y caía al suelo. Venía de otra mesa a la que habían llegado unos tipos medio políticos, pistoleros, vestidos de gabardinas y sombreros de esos muy particulares que había en aquella época, con una muchacha que era una *profesional*. Cuando estábamos bailando, yo la había oído comentar a uno de sus acompañantes:

—¡Qué guapo es Pedro Armendáriz!

Eso bastó para que el señor aquél se levantara y fuera a ver a Pedro con un papel. Como en nuestra mesa la mayor parte de los presentes eran norteamericanos, estábamos hablando en inglés (Pedro lo hablaba muy bien). El señor se acercó y en un inglés de pulcro acento apache, le preguntó:

—*Mei ai jab yur autograf?*

Pedro lo vio de aspecto nacional y le contestó:

—¿Por qué no me lo pide usted en español?

—Pues porque usted está hablando en inglés.

—Yo hablo en el idioma que me da la gana y no me va usted a venir a reclamar.

El señor éste lo cogió de las solapas:

—Me va dar el autógrafo ¿sí o no?

Pedro le dio el autógrafo en un bofetón. Allá en la pista, la americana me preguntó qué pasaría, y yo, sin tener idea, bromeé:

—Ha de haber sido un autógrafo que le fueron a pedir a Pedro.

A un metro de nosotros estaba la mesa de los tipos éstos. Rápidamente uno se había parado y había corrido a ayudar a su amigo, mientras el otro se quedaba con la muchacha:

—Yo le voy a quitar lo bonito a ese tal por cual.

Metió la mano y sacó una 45. Con la audacia que dan las copas, me lancé a arrebatarle la pistola y empecé a luchar con él, mientras en la otra mesa se oían las mentadas muy fuertes. Nadie se fijó en nosotros, y forcejeando llegamos hasta la puerta de la cocina. Lo bueno es que era un poco más chaparro que yo y no le permitía dispararla, ni voltearla para ningún lado. En eso, vino el otro a auxiliarlo y al entrar a la cocina me pegó en la cadera con otra pistola. A la hora que volteé a ver de qué se trataba, me pegó un trancazo en la sien, y tuve que soltar al primero. Se cayó la pistola y la recogió el cocinero, yo me quedé tirado en el suelo y el de la pistola salió sin saber qué hacer. Al abrir la puerta, me encontré con el otro mero enfrente, apuntándome con su pistola como a tres metros de distancia, como diciendo "Éntrale". Nadie se daba cuenta de lo que me estaba pasando, excepto Esther Fernández que de repente se levantó y se le puso enfrente al señor ese y comenzó a darle de patadas en la espinilla, en medio de gritos y aullidos como "¡Usted quítese, señora!, ¿qué hace?" Yo no podía moverme porque sabía que al primer paso el tipo dispararía, pero afortunadamente un militar que estaba allí sentado se levantó, le puso una pistola en los riñones al tipo y lo desarmó. Así puso en paz aquello. Nosotros nos levantamos, pedimos la cuenta y nos fuimos volados.

Óscar Dancigers iba pálido, porque no había visto nunca una cosa así, y todo el mundo estaba muy impresionado. La mayoría se fue a sus hoteles y nos quedamos nada más Pedro, Óscar Dancigers, mi amiga y yo. Fuimos a tomarnos una copa para quitarnos el susto y comentar los incidentes. Un rato después, les digo:

—Bueno, no hemos cenado. Vamos a cenar.

Tomamos un taxi y le pedimos al conductor que nos llevara a algún lado que todavía estuviera abierto a esas horas de la noche. El taxi nos llevó al mismo lugar, y al entrar nos encontramos con aquellos señores todavía ahí sentados. Cuando nos vieron, pensaron que habíamos ido por pistolas y que íbamos a buscar camorra. Como a ellos les habían quitado las armas, salieron volados. Al día siguiente aparecimos en todas las notas rojas de los periódicos de México y Cuernavaca.

La perla, que dirigió estupendamente Emilio Fernández, se realizó en dos versiones: una en inglés y otra en español, porque no había doblaje. Nos llevó mucho tiempo, pero fue un éxito, realmente gustó en todos lados.

Como la película había resultado magnífica, quisimos completarla con música que estuviera a su altura, y teníamos la ambición de tirar lo más alto posible. Primero pensamos en Stravinsky, a quien le gustó mucho la cinta y accedió a musicalizarla, pero nunca había trabajado en el cine y no sabía qué tenía que hacer. Le explicamos que había, por ejemplo, una secuencia dramática de tres o cuatro minutos con música y luego tenía que romperse para dar paso a un lapso de transición y de ahí a la siguiente secuencia, que posiblemente no fuera dramática y que necesitaría otro tipo de música. Al oír esto dijo que no sabía componer en pedacitos y nos dejó colgados; pero el maestro Antonio Díaz Conde nos hizo una música excelente. El cartel de *La perla* lo hizo José Clemente Orozco.

La película fue un éxito internacional y es la que más satisfacciones me ha dado, pues aparte del Ariel por su fotografía, obtuve fuera del país el León de Oro del Festival de Venecia, en Italia, en 1948; The Golden Globe de los Hollywood Foreign Correspondents, en Estados Unidos, en 1949, y el Premio del Festival Internacional de Madrid, España, en 1949.

Cuando me invitaron a recibir el Golden Globe en Hollywood hubo un curioso incidente. Me alojé en el hotel Roosevelt. Un día, cuando regresé, encontré un recado de una señora a la que no conocía y que dejó un teléfono; no la llamé. Al día siguiente, tres recados más de la misma señora, ninguna respuesta de mi parte. Luego otro más, y éste decía que quería tratar algo referente al Congreso de la Paz en México. Sospeché algo. En la mañana, temprano, la señora estaba sentada frente al elevador, esperándome, la invité a tomar un café.

—¿Por qué no me ha llamado usted?

—No acostumbro a llamar a personas que no conozco ... Bueno, una pregunta, ¿qué desea usted?

—Sé que va asistir al Congreso de la Paz en México y un grupo de personas simpatizantes desean enviar una ayuda de cincuenta mil dólares y queremos que usted la lleve, pues no se la podemos enviar directamente a Vicente Lombardo Toledano.

Le expliqué que Diego Rivera nos había invitado a María Félix, a Dolores del Río y a mí, entre otras personas del estudio. Que era probable que yo asistiera, pero como oyente, y que no tenía ni facultad ni deseos de llevar esa cantidad de dinero, que había ido a Hollywood a recoger mi premio, únicamente. Entonces cambió de actitud y me propuso hacer una gran fiesta para celebrar el premio, que vivía en una residencia en Beverly Hills, que invitaría artistas y amigos y allí recogerían más dinero para el congreso. Quería que le diera una lista de mis amigos para invitarlos. Le contesté que le agradecía su invitación, pero no debía aceptar, puesto que ella no tenía por qué hacer una fiesta. Fue tanta su insistencia sobre la lista de mis amigos y la fiesta que acepté, a sabiendas de que no asistiría.

—¿Conoce usted a Charles Chaplin?

—Claro —le dije—, en la pantalla soy un gran admirador del genio, pero no lo conozco personalmente.

—Pues lo voy a invitar, pues él sí es amigo mío —me dijo—. Bueno, deme algunos nombres...

Se los di: John Wayne, Ward Bond, Adolphe Menjou, Sam Wood. Al oír la lista, la señora se demudó, y quedamos que al día siguiente pasaría al hotel a recogerme; minutos después sacaba mi pasaje para regresar ese mismo día.

Durante la entrega del Golden Globe encontré a Fred Zinnemann, director de la película *Redes*, que hizo en México, y me propuso trabajar juntos. Le interesaba *El puente en la selva*, de B. Traven. "Tú consigue los derechos y yo el financiamiento", me dijo, y así fue. Propuso a Carl Foreman como adaptador del gran escritor.

Regresé a México, pero ya tenía listo un viaje a Europa con mi mujer. Fred me telefoneó para recomendarme que pasara yo a visitar el laboratorio Technicolor de Londres, donde se estaba procesando la película *Moby Dick* de John Huston y tenían un nuevo proceso para evitar en color el azul del mar y del cielo. En efecto, agregaban a los negativos de los tres colores una impresión más con un negativo en blanco y negro y el cielo azul y el mar tomaban un tono sepia, muy agradable. Esto nos interesaba porque el *Puente...* tenía muchas escenas nocturnas y había que evitar tanto negro.

Ya avanzado el estudio de la obra, el macartismo se hizo presente otra vez, Carl Foreman fue citado en Washington a declarar. Pudo escapar a Londres, pero como Fred no confiaba la adaptación de la obra a nadie, tuvimos que olvidar el proyecto. Foreman realizó en Londres *Rugido de ratón*, gran película con Peter Sellers.

De *La perla* tengo una anécdota reciente, y es que la realizamos por allí de 1946, y hace escasamente cuatro años vino un reportero japonés a hacerme una entrevista porque se acababa de estrenar en Tokio —lo que quiere decir que la película aguanta todavía, pues si después de cuarenta años tiene el éxito que tuvo en Tokio, y la apreciaron mucho, como una película hermosa, es que el tiempo no ha pasado por ella—. El reportero quería que le explicara qué técnica fotográfica había usado para lograr los magníficos cielos y todo lo que teníamos en la película. Me dio mucho gusto ver que la película seguía vigente tanto tiempo después de que se había hecho; la considero una de las mejores películas que hayamos hecho en México.

CAPÍTULO XI.
PERMANECER EN MÉXICO

En 1948 murió mi maestro Gregg Toland. Era joven y talentoso. Fue una gran pena, que sentí muchísimo. Recibí entonces, por medio de Paul Kohner, la propuesta del estudio de Sam Goldwyn para tomar el puesto de Toland, con cinco años forzosos en el estudio y otros cinco opcionales. Lo pensé. Era la mejor propuesta que podía recibir, pues Goldwyn hacía las películas más brillantes e inteligentes de Hollywood. Era un contrato codiciado, pero decidí no aceptarlo. Años después me preguntaban por qué no lo tomé. En ese momento yo era joven y soltero, tendría que haber ido por diez años, hacer una familia allá. Mi trabajo en el estudio sería muy satisfactorio, pero ¿y mi vida fuera del trabajo? Conocía muy bien el ambiente y eran muy difíciles las relaciones con la gente allá, pues había la aristocracia formada por los productores, un círculo muy cerrado, luego venían los escritores, los directores, los adaptadores, los actores y, al final, los técnicos. El ambiente en el que me movería sería poco satisfactorio, en cambio aquí, en México, mi medio ambiente era fabuloso: pintores, músicos, poetas, literatos, arquitectos, la danza, el teatro y el cine, toda la mística mexicana de los años cuarenta. Hubiera cometido un grave error aceptando el contrato y borrando de un plumazo toda esta vida llena de gente creativa, con talento y hermosa, de la que he aprendido cómo guiar mi vida.

En esos días llegó a México Leonard Bernstein a dar un concierto con la Filarmónica de Nueva York, que fue, como todos los suyos, muy hermoso. Después, Felipe Subervielle le ofreció en su casa una cena. Entre los invitados estaba Robert Rossen, junto con quien escuchamos la interesante charla de Bernstein hasta la madrugada. Creo que Bernstein es el director con mayor sensibilidad y comunicación con el público que ha habido, además de un extraordinario compositor clásico, en ligero, compuso *West Side Story*...

En esa misma época, Esperanza López Mateos hizo un viaje a Nueva York. Como era muy reservada no había hablado de qué se trataba, pero a su regreso nos contó, porque trajo además una moneda que me enviaban de allá como amuleto.

Esperanza llevaba dinero de B. Traven, pero, a lo que iba, era a pasar con un sombrero en la mano a todas las tiendas de judíos allí en Nueva York a juntar dinero para el establecimiento de Israel. Ayudó con eso y con el Comité que iba a zarpar en el *Exodus*. El barco ya estaba listo allí para salir a establecer Israel, y el jefe de todo se llamaba Dov Gruner. Cuando acabaron los preparativos para la salida del barco, Gruner invitó a Esperanza y le dijo:

—¿Por qué no te vienes para acá? Eres muy buena organizadora. ¿Por qué no te vienes a Israel a ayudarnos a establecer nuestro país?

Entonces Esperanza le respondió:

—Lo siento mucho, pero todos mis intereses están en México: mi matrimonio, todo está en México, no podría irme a establecer a otro lado de ninguna manera. Ya he ayudado aquí, vine a hacer mi parte.

Y ella me trajo una moneda de cincuenta centavos americanos que Dov Gruner me mandaba como amuleto y que hasta la fecha conservo. Ya aquí, en México, Esperanza explicó todo este asunto y más tarde, unos años después de su muerte, la colonia israelita en México hizo una escuela que se llama Esperanza López Mateos como agradecimiento por su colaboración en el establecimiento de Israel.

CAPÍTULO XII.
NUEVA ROSITA Y CLOETE

En 1950 vino la huelga de Nueva Rosita y Cloete, unas minas en las que estaba envuelta la American Smelting y, creo, aunque no estoy muy seguro, que también el general Abelardo Rodríguez, quien tenía algunos intereses en la minería por ahí. Por recomendaciones que le llegaron a Esperanza, atendimos a los mineros, encabezados por Pancho Solís y Manuel J. Santos, que era el principal líder. Y en la casa me presentó al Comité Ejecutivo de los mineros. Nos sentamos en la mesa a hablar y nos explicaron cuál era su problema. Habían declarado un movimiento de huelga y tenían muchas dificultades porque estaban sitiados por el ejército, así que no podían entrar los comestibles y estaban completamente bloqueados. Después de explicarnos el problema, preguntamos qué podíamos hacer. Esperanza dijo que se iba a Nueva Rosita para ver la situación y me pidió el dinero que tenía.

Puse dinero y Roberto también, el que teníamos en ese momento, ella lo juntó y se fue con los mineros a Nueva Rosita.

Allá en Nueva Rosita, Esperanza llegó a organizar, algo para lo que era muy buena. Viendo que estaban bloqueados, organizó a todas las mujeres y se las llevó a Monterrey. Con el dinero que llevaban, y algo más que se había juntado, compraron medicinas, víveres, etc. Los soldados no pudieron impedir que entraran con los camiones porque eran puras mujeres y decían: "Bueno, no, contra las viejas no podemos disparar ni nada".

Esperanza era enfermera titulada, sabía mucho de medicina y ayudó a vacunar a todas las personas y a darles servicios médicos, con unos doctores de Monterrey, amigos de ella. Se enteraron las autoridades de todo el asunto y mandaron llamar a Esperanza, pero en el ínterin, se le habían agotado los recursos.

Debo irme atrás un poco. Años antes, para otro asunto, ella había ido a ver y a hablar con el general Lázaro Cárdenas. La acompañé, pero me quedé en el coche mientras entraba a la casa del general Cárdenas a hablar con él. Cuando salió, le dije:

—Qué impresionantes perros tiene, oí unos ladridos. ¿Son terranova?

—Sí, son unos perros enormes, muy bonitos.

Eso parecía haber quedado atrás, pero en el momento del problema en Nueva Rosita, ella, los mineros y su Comité Ejecutivo pretendían tener una conversación con el general Lázaro Cárdenas para ver si obtenían apoyo moral y material.

Esperanza me mandó un telegrama y para que pudiera pasar, porque las autoridades fiscalizaban todo, decía: "Gabriel, ve y entrevista al señor de los perros y arregla una junta con nuestros amigos."

Me di cuenta inmediatamente de la clave en que estaba escrito el telegrama y le hablé a mi amigo Abel Salazar, gente del cine, quien en aquella época estaba casado con una de las hijas del general Cárdenas, y le dije:

—Por favor, Abel, consígame una entrevista con el general Cárdenas. Le prometo que no voy a hablar de cine, es por otro asunto.

—Cómo no, Gabriel, no se apure por esto. Yo le consigo la cita.

Me llamó por teléfono, muy gentil, y me dijo:

—Mañana a las cuatro de la tarde lo recibe a usted el general Cárdenas en su casa.

Llegué a la entrevista. Siempre me ha dado mucho gusto y una gran emoción tener a un personaje como el general Cárdenas enfrente. Me pasaron a la sala y le dije:

—General, vengo a molestarlo para tratar de hacer una junta entre usted y los dirigentes mineros de Cloete y Nueva Rosita, quienes tienen un problema muy grande y necesitan hablar con usted. Usted debe estar enterado del problema.

—No, sólo he oído algo vagamente —respondió (digo, un político nunca se enfrenta a decir sí)—. Pero yo le rogaría que usted me explique cuál es el problema.

—No soy el indicado, general, para tratar este aunto —contesté—. Se lo voy a explicar a mi modo, pero esto no implica que usted no reciba a los dirigentes mineros que son quienes deben explicar su propio problema.

Le expuse la situación y más o menos de qué se trataba todo el asunto contra la American Smelting. Cuando terminé, me dijo:

—Bueno, ahora veo más o menos cuál es el problema. Los recibiré. Le voy a dar el teléfono de Nacho García

Téllez, que es la persona que me ayuda a mí en todo y él me los traerá y ya hablaremos.

Le informé que no estaban en México, que venían en camino e iban a ir especialmente a hablar con él. Se quedó callado.

—Pero un momentito —le dije—, quiero hacerle un agregado si me lo permite, mi general. Mire usted —porque yo había hablado de Esperanza y él la conocía—, Esperanza, mi hermano y yo hemos agotado lo que teníamos. Esperanza está allá ayudándoles y no es solamente que usted reciba a los mineros y oiga su problema y los respalde moralmente o no, necesitamos ayuda económica ya. Así que le suplicaría —no conmigo, yo no recibo nada—, pero a la hora que vengan los mineros lo tomen muy en consideración, porque la gente se está muriendo de hambre. Muchas gracias.

—¿Cuándo llegan estos señores? —preguntó el general Cárdenas.

—Hoy en la noche —respondí.

—Mañana los puedo recibir. Ya sabe usted: se arreglan con Nacho y él me los trae mañana en la tarde.

Él mismo, muy gentil, se levantó para acompañarme a la puerta y llegó hasta el zaguán. Me despedí y le agradecí la gentileza de haberme recibido y aceptado la propuesta.

—Un momentito —me dijo el general—, no se vaya, señor Figueroa. Yo sé quién es usted. Usted es un artista. He visto sus películas, conozco lo que ha hecho en el cine, pero quiero decirle una cosa antes de que se vaya: que lo felicito en el sentido de que no vino a verme por su interés, sino que está pensando en los mineros, que no tienen qué ver con el cine. Usted está viendo un problema de gente ajena a su profesión, a su mundo y preocupado por eso. Si todos los mexicanos fueran así, este país sería otra cosa.

Fue tal halago para mí, que ya quería llorar, no sé. Le di la mano y me fui corriendo.

Al día siguiente el general Cárdenas recibió a los mineros y habló con ellos. Desgraciadamente no pudo hacer ninguna gestión ni nada por la política del propio gobierno. Creo que no se quiso comprometer. A partir de ese momento, en que los mineros no contaban con una personalidad moral que respaldara su movimiento y sus anhelos, acordaron hacer la que se llamó marcha del hambre. Vinieron a México a pie desde Nueva Rosita, Coahuila, para hablar con las autoridades sobre su contrato y sobre su huelga.

En esto no intervinimos ni Esperanza ni yo. Lo que sí pudimos hacer fue recibir a todas las esposas de los mineros que llegaron en camiones y en trenes. Se vinieron a la casa. Tuve que salirme y Esperanza las alojó a todas con colchones en el suelo. Vivieron en mi casa durante toda la caminata que hizo la caravana, refaccionándolas con lo que podíamos juntar con los amigos.

Desgraciadamente no pudimos hacer nada para resolver este problema, porque era demasiada la presión del gobierno y demasiado fuerte y poderoso el contrincante, la American Smelting. Llegaron los mineros y, al entrar a la ciudad de México, la policía y el ejército los dirigieron para meterlos en un campo, de concentración digamos, donde los retuvieron. El presidente Alemán le dio órdenes a don Adolfo Ruiz Cortines, que era secretario de Gobernación, para que a toda la caravana la subieran a los trenes y la regresaran a su lugar de origen, sin garantizarles ni trabajo ni nada absolutamente.

Don Adolfo Ruiz Cortines los subió a los trenes y habló con ellos, le dijo:

—No hay de otra más que ésta. Así es que vámonos y regresen. No les puedo ofrecer ni prometer nada. Tengo órdenes precisas de hacer esto y esto es lo que estoy cumpliendo.

Después de aquello asesinaron a Pancho Solís y a otros de los líderes. El que quedó y vive hasta la fecha es Manuel J. Santos, con quien nos veíamos regularmente. El día que murió Esperanza, los mineros fueron a su tumba. Recientemente cené con Manuel J. Santos, quien ya me había contado una aventura que debe registrarse en este libro y que es importante. Cuando terminó el gobierno de Alemán y subió a la presidencia el señor Ruiz Cortines, mandó a llamar a los dirigentes mineros y Manuel J. Santos fue con otros líderes a hablar con él. Ruiz Cortines les dijo:

—Señores, en el momento en que los puse a ustedes en los carros de ferrocarril para regresarlos a Nueva Rosita, estaba cumpliendo órdenes que me había dado el presidente, con las cuales yo no estaba de acuerdo, pero tenía que cumplirlas y por eso las cumplí. Ahora soy presidente, díganme si puedo remediar en algo la situación de los mineros, si hay gente sin trabajo, les puedo dar trabajo.

Santos le respondió:

—Sí, cómo no, hay muchos que todavía están sin trabajo.

Arregló con el general Cárdenas que le enviarían a todos los mineros sin trabajo al valle de Tepalcatepec, a una de las obras que estaba haciendo el gobierno en ese momento. El general Cárdenas los acogió y les dio trabajo.

A Pancho Villa, el *Centauro del Norte*, en una ocasión le preguntaron unos americanos si hablaba inglés, y él contestó: "American Smelting, son of a bitch, nada más..."

Año de 1922

Boleta No. 369

Alumno Gabriel Figueroa

El Alumno tiene obligación de presentar esta tarjeta siempre que le sea requerida por quien ejerza autoridad en la Escuela.

Credencial de Gabriel Figueroa, 1922

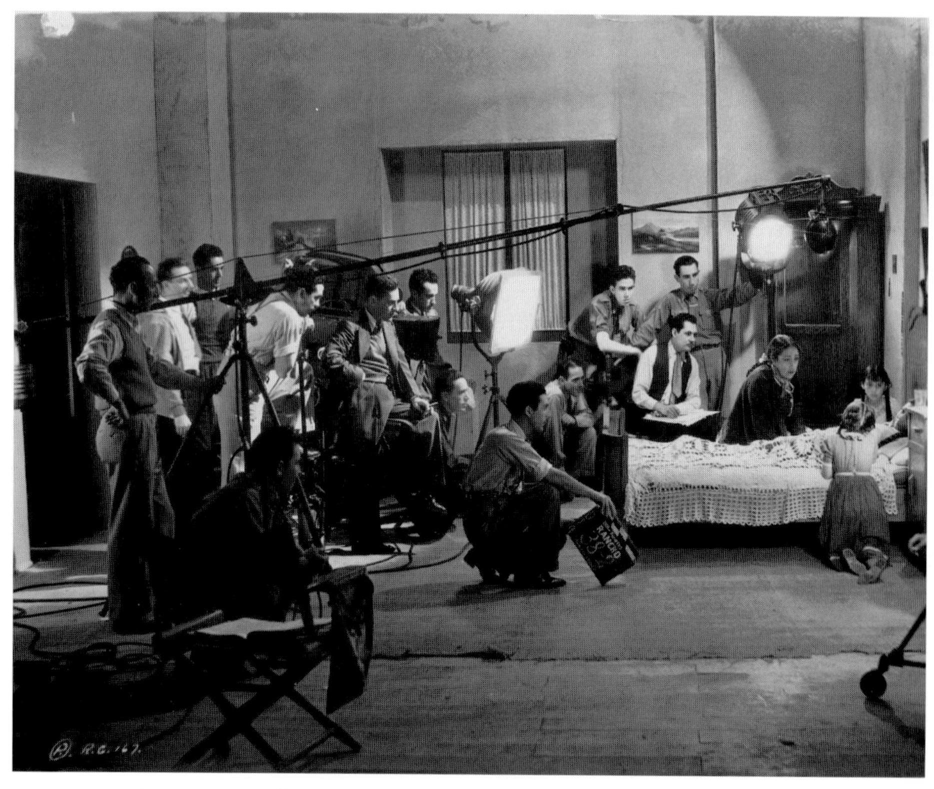

Filmación de *Allá en el Rancho Grande*, de Fernando de Fuentes, 1936

Diego Rivera, Gabriel Figueroa y David Alfaro Siqueiros, *ca.* 1947

Gabriel Figueroa y Claudette Colbert, Hollywood, 1946

Gregg Toland

Gabriel Figueroa y Toshiro Mifune

Gabriel Figueroa, Rita Hayworth y personas no identificadas

Gabriel Figueroa y John Ford

Premio *Red Book Magazine*, Hollywood, 1947, a la película *The Fugitive.*
Merien C. Cooper, Gabriel Figueroa, Gregory Peck,
John Ford y Emilio Fernández

Frank Capra, John Ford, Walt Pidgeon en la ceremonia del *Golden Globe*, 1948

Gabriel Figueroa revisando tiras

Filtro pancromático

Exposímetros de Gabriel Figueroa

Lata con Gasa Zoom

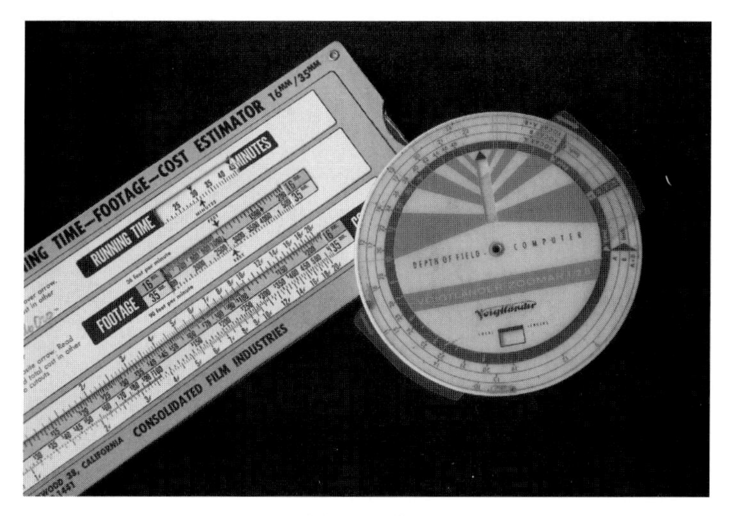

Tablas de cálculo

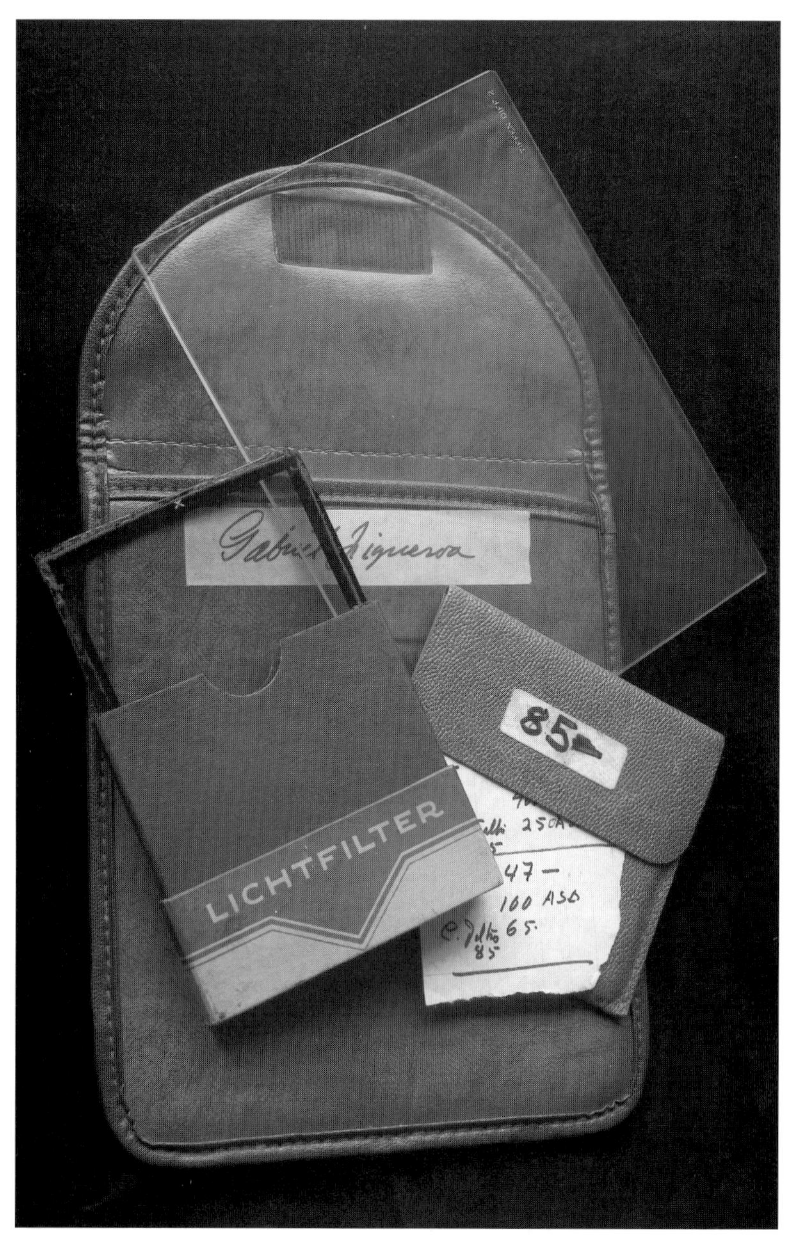

Filtros de Gabriel Figueroa

María Félix y Gabriel Figueroa

Bailando con María Félix

Emilio Fernández, Dolores del Río, Pedro Armendáriz y
Gabriel Figueroa durante la filmación de *La malquerida*, 1949

Gabriel Figueroa, Mario Moreno *Cantinflas* y Jorge Negrete
en marcha de protesta para la formación del STPCRM

Gabriel Figueroa recibiendo un premio

Gabriel Figueroa y Luis Buñuel

Luis Buñuel durante la filmación de *Nazarín*, 1958

Marilyn Monroe visitando el foro de *El ángel exterminador*,
de Luis Buñuel, 1962

Gabriel Figueroa y Juan Rulfo

José Luis Cuevas, Carlos Fuentes y Gabriel Figueroa

María Félix

John Huston y Gabriel Figueroa en la filmación de
The Night of the Iguana, 1963

Gabriel Figueroa y Tennessee Williams durante la filmación de
The Night of the Iguana, 1963

Gabriel Figueroa en la filmación de *Kelly's Heroes*,
Yugoslavia, 1969

Escena de la película *Kelly's Heroes*

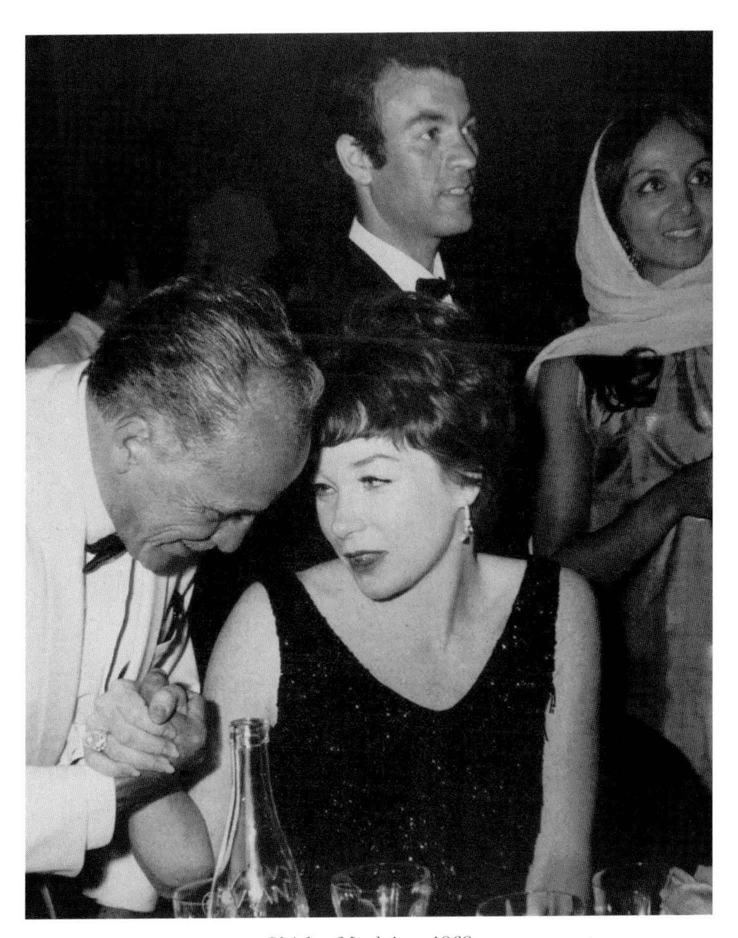

Shirley Maclaine, 1969

Martín Scorsese, Gabriel Figueroa y Francis Ford Coppola

Gabriel Figueroa, 1994

Gabriel Figueroa

CAPÍTULO XIII. 1950

En 1950, recibí una comunicación en papel timbrado de la 20th Century Fox invitándome a Hollywood para la lectura de la obra *Zapata* de John Steinbeck, adaptada por Darryl F. Zanuck, que dirigiría Elia Kazan con Marlon Brando.

Como mi visa estaba por vencer, fui a la embajada de Estados Unidos a sacar una nueva. Ya para entregármela, me indicaron que el cónsul quería hablar conmigo. En la oficina estaban una taquígrafa, un señor de espaldas con pipa y el cónsul, detrás de su escritorio, con mi pasaporte en la mano:

—¿A qué se debió su último viaje a los Estados Unidos?

—Fui a recibir un premio por mi trabajo de fotografía en el cine: el Golden Globe de los Hollywood Foreign Correspondents —como me había dado cuenta de lo que se trataba: macartismo puro, agregué—: El trofeo es muy bonito, lástima que no lo traigo aquí para que usted lo vea.

—¿A qué va usted ahora?

Le mostré la carta de la Fox, la leyó.

—¿Puedo hacerle otras preguntas?

—Depende —contesté.

—¿A qué partido pertenece usted?

—Eso no le importa a usted pues es parte de mi vida privada, y no tiene usted porque meterse en vidas privadas.

Tomó rápidamente la Constitución americana y me dijo:

—Yo tengo la facultad de hacer las preguntas que considere pertinentes a personas especiales.

—¿Yo soy una persona especial?

—Sí.

—Pues le ruego que me regrese mi pasaporte y los diez dólares que pagué, pues no voy hacer este viaje.

Salí disgustado y mandé un cable a la Fox diciendo que no iba. Acto seguido e inesperado, Elia Kazan y John Steinbeck llegaron a Cuernavaca con el guión. Mi opinión fue que no sabían por qué luchaba Zapata y que el asesoramiento que habían recibido de un periodista americano era falso. La misma opinión les dieron después un amigo de Kazan, Nacho Aguirre, el pintor, y Óscar Dancigers. Así que se regresaron a Hollywood y un año después vino un enviado de la Fox con el nuevo guión. En una junta, Óscar y yo le hicimos saber al señor que yo no fotografiaba la película, definitivamente.

No sé por qué Kazan planeó hacer *Viva Zapata!* en locaciones en Texas. Un día me llamó por teléfono para decirme que lamentaba que yo no fuera a trabajar en la cinta y que si me podía hacer una pregunta profesional: ¿cómo lograba yo en las escenas nocturnas en blanco y negro la calidad del grabado?, pues ellos habían hecho allá pruebas para obtener un tipo de fotografía como el que yo hacía y a esto aún no le habían dado. Con todo gusto le respondí:

—Dígale usted al fotógrafo que use primero... que se necesita bajar "medio stop" para que aparezca el grano de la película, que es lo que da la calidad de grabado.

—¡Nunca le hubieran dado! —contestó.

Naturalmente, en mi sistema, el grano lo hacía todo, es como si se pusiera una "mica" con puntitos en la impresión de fotografías fijas.

La película no fue ni mala ni ofensiva para México. El final tenía una concepción poética muy hermosa, con el caballo blanco de Zapata entre las nubes. Joe MacDonald fotografió la película.

También en 1950, la Organización de Estados Americanos, por medio de la Panamerican Union de Washington, me ofreció un homenaje. Se realizó una exposición de fotografías fijas de mis películas, así como en un salón al lado la proyección en 16 mm de las cintas *La perla*, *Río Escondido* y *María Candelaria*. La exposición recorrió la Unión Americana.

Más tarde, ese mismo año, fui invitado al Festival Cinematográfico de Karlovy-Vary, Checoslovaquia, llevando la película *Pueblerina* (1948), dirigida por Emilio Fernández e interpretada por Columba Domínguez y Roberto Cañedo; Efraín Huerta, nuestro gran poeta, estaba invitado también.

Viajamos de México a París; al día siguiente volábamos a Praga. En París, Efraín llamó a Octavio Paz para saludarlo y éste, siempre tan gentil, nos invitó una copa en su casa. Ya allí, sonó el teléfono. Oímos que se disculpaba por no poder asistir a un compromiso contraído, por estar con nosotros que acabábamos de llegar. Lo interrumpí para rogarle que cumpliera, pues podríamos vernos a nuestro regreso. La persona que llamaba era el gran escritor y dramaturgo Jean Genet, quien invitaba a Octavio Paz a la exhibición de una película corta que había realizado y que la censura francesa le había prohibido exhibir. Al oír mi nombre, le sugirió que nos invitara, pues quería conocer mi opinión.

Fuimos a un pequeño museo a verla. Se trataba de una película corta sobre la homosexualidad. Lo grave es que era pornográfica y había sido realizada con mal gusto. Por la imagen se explicaba por qué la habían prohibido. Al terminar, el señor Genet me pidió mi opinión. Le contesté que no hablaba francés y le rogué a Octavio Paz que me tradujera. Paz aceptó y le dije: "Es el desperdicio de material fotográfico más grande que he visto en mi vida", lamentando desde luego haber puesto a Octavio Paz en un predicamento y, por otro lado, pensando que el señor Genet no era un experto director de cine, sino un genial autor que debería retirarse del cine.

Llegamos a Praga, una muy bella ciudad, con una arquitectura hermosa y diferente a cualquier otra en el mundo. Después, en el festival de Karlovy-Vary, se presentó *Pueblerina*, que fue ovacionada por el público y por el prestigiado crítico de cine Georges Sadoul. La gran ovación vino después de la secuencia final con aquel dramático cielo negro, que causó una fuerte impresión, y por la mexicanidad de la película, lograda gracias a la magnífica dirección de Emilio Fernández y al libreto de Mauricio Magdaleno. En este festival obtuvimos el premio a la mejor fotografía.

CAPÍTULO XIV. LUIS BUÑUEL

Este capítulo empieza en 1950, cuando se dio mi conexión con Luis Buñuel para fotografiar *Los olvidados*. Yo conocía sobre todo *Un perro andaluz*, pues aquí en México, desde que llegó, había hecho algunas películas menores, por necesidad prácticamente. En la primera oportunidad que tuvo de hacer una buena película filmó *Los olvidados*, que en mi concepto y en el de muchos críticos es la mejor película del cine mexicano de todos los tiempos.

Acepté gustoso fotografiar la película, me conecté con Luis Buñuel y vi, por el trato continuo con él, su gran generosidad y humanismo, el talento que tenía. Era un ser humano hermoso, un ser humano con el que realmente daba gusto tratarse. Uno se sentía como en casa al hablar con él.

En la cosa del trabajo, Luis Buñuel y yo estábamos en puntos un tanto opuestos, porque yo era eminentemente plástico y estético y él era todo lo contrario. Él no buscaba absolutamente nada de eso en sus películas. En lo único en lo que yo podía defenderme era en la iluminación, creando un ambiente que perteneciera a la historia que estábamos haciendo.

Ni comentamos la historia, entramos a trabajar y en la primera escena nos identificamos. Era un *dolly* en el que la cámara seguía a dos personajes en el asilo, sin cambiar de distancia, un *dolly* muy largo. Terminando teníamos que movernos de lugar. Don Luis me preguntó:

—¿Qué le pareció a usted la escena?

—¿Desde qué punto de vista?

De momento se desconcertó un poco.

—Pues, del punto de vista... de la dirección.

—No es buena.

—¿De la fotografía?

—Regular, tirando a mala

—Y, ¿de la actuación?

—Lo que se ve, pues estamos fuera de distancia...

—Exprésese usted mejor.

Le dije entonces:

—Ha sido mal planeada, puesto que el *shot* que usted puso está fuera de distancia. Está usted cortando los *shot* de dos personas debajo de las rodillas.

—¿Qué hay de malo en ello? A mí me gusta ver las rodillas moverse.

—Pero al público le gusta ver las caras de los intérpretes —contesté—. Además es antiestético.

—¿Y quién le ha dicho a usted cuál es la estética?

—Los libros de pintura que he estudiado sobre composición, entre otros... Bueno, vamos a hacer una apuesta: si usted me muestra alguna pintura, de un buen pintor, en que se encuentren figuras cortadas debajo de las rodillas, usted gana mil pesos, ¿juega?

Don Luis contestó:

—Juega.

Como a las tres semanas me llevó un periódico con una fotografía de un cuadro de Van Dyck: un grupo de personas con un cancerbero cortado bajo las rodillas en primer término. A partir de allí nos entendimos para siempre y fuimos buenos amigos. La apuesta no la pagué y la escena no apareció en el film.

Y creo que salí bien librado, pero don Luis era muy contrario a todas estas ideas. Claro, él era uno de los iniciadores del surrealismo junto con André Breton, con Dalí, uno de los creadores del cine surrealista, aparte de que pertenecía a todo el grupo de pintores, Man Ray, entre ellos.

Ese mundo del surrealismo traspasa el mundo de la razón y rompe los patrones lógicos con los que se maneja el mundo real. La lógica de gran parte de su cine es lo ilógico, lo incoherente del pensamiento de la conducta del hombre. El surrealismo le permite la flexibilidad necesaria de sus imágenes y de la realidad que conocemos en nuestra cultura.

Buñuel muestra cómo un hombre contemporáneo, creado en esta sociedad en que ha sido incapaz hasta ahora de alcanzar cierto tipo de libertad, vive atado por las ligaduras de los valores morales de los padres, situación que eventualmente lo conduce a la destrucción y a la infelicidad. Más o menos ésa era la lucha de Luis en todos sus argumentos, una lucha por la libertad que no se conseguía, como no se consigue por lo general en ninguna parte.

Trabajé con él en siete películas en las cuales hay algunas anécdotas que me gustaría relatar, porque tenía un gran sentido del humor, y él y yo nos divertíamos y nos reíamos de nuestros chistes y la gozábamos realmente en grande.

Por ejemplo, en *Él* —aquella película escrita por Mercedes Pinto que hicimos con Arturo de Córdova—, fuimos a Guanajuato, cerca de la estatua del Pípila, y desde allá arriba empezó a bromear y a comentarme:

—Vea usted esta ciudad: una ciudad colonial, eminentemente hermosa, trazada, pensada y realizada por el indígena mexicano.

Le dije:

—Bueno... hay incoherencias de ésas, como la que usted está diciendo. Hay cosas que no me explico, aunque debe haber una explicación, si eso que usted acaba de decir es cierto —vacilándolo, pues yo sabía que ésa es una ciudad colonial planeada por españoles. Entonces agregué—: Porque lo que no me explico de aquí, de esta ciudad, lo que me parece incoherente, es esta estatua de este señor que han hecho aquí, del Pípila, mire de qué tamaño, y ¿usted sabe por qué está esta estatua aquí?

—No, pues realmente no, sé algo, pero...

—No, usted cree que le han levantado una estatua al asesino de dos mil gachupines que se encontraban en la Alhóndiga de Granaditas.

Nos reímos todos y seguimos bromeando de todas las cosas.

La joven fue la única película en inglés que hizo Luis Buñuel aquí en México, en la que el actor principal era Zachary Scott. Y Zachary Scott fue quien nos mostró *Bajo el volcán*, de la que tenía los derechos y quería interpretarla. Luis y yo leímos por primera vez *Bajo el volcán*, y Zachary Scott nos invitó a asociarnos con él, pero tuvo la mala fortuna de que cuando regresó a Hollywood a buscar el dinero se murió. Después la obra pasó a otras manos, y es una historia que cuento más adelante.

Durante la filmación de *La joven*, cuando estábamos en las locaciones cerca de Cuernavaca, llegaron unos reporteros de cine. Uno de ellos se acercó a hablar con don Luis en el momento en que había terminado una escena e iba a preparar la siguiente. Don Luis accedió a que lo entrevistara, pero el periodista lo fastidió tanto que ya quería cortar la conversación.

—Bueno, señor Buñuel, ¿está usted a gusto con esta película?, ¿la siente usted bien?

—Pues sí, si yo la planeé. Cómo no la voy a sentir bien.

—Pero la película es en inglés.

—¿Qué tiene? —le respondió ya molesto por la actitud del periodista—. Si hablo bien inglés y hablo muy bien francés, y puedo hacer una película en cualquiera de esos idiomas.

—Bueno, dígame una cosa, no se disguste, nada más dígame: ¿está usted completamente conforme y contento de todo lo que está usted haciendo?

Entonces, allí, Luis decidió gastarle una broma y le dijo:

—Bueno... es una buena pregunta la que usted me está haciendo. No, no estoy conforme con todo. Mire, la interpretación, la dirección, todo lo demás, genial, pero, ¿sabe usted?, creo que mi amigo Figueroa ya se está volviendo viejo, porque la fotografía está muy mal.

El otro lo apuntó. Yo no me di cuenta porque estaba como a cincuenta metros de distancia, y ahí va el periodista conmigo. Y sucedió lo mismo, pues era un señor de esos que en México llamamos "sangrones", no se aguantaba ninguna de sus preguntas.

Me empezó a entrevistar también, a hacerme el mismo cuestionario. Le dije:

—No tiene nada qué ver que la película sea en inglés para su realización.

Y al final me preguntó:

—Pero ¿usted está contento con cómo está saliendo todo en la película?

Y se me ocurrió decirle —creo que era transmisión del pensamiento:

—Bueno, pues, conforme con todo no, porque, mire usted, creo que Luis Buñuel se está volviendo viejo, porque la dirección es detestable; mientras que la fotografía y todo lo demás, genial.

Al día siguiente apareció su reportaje a dos columnas con un retrato de don Luis y otro mío, y todo el mundo se rió, porque sin ponernos de acuerdo realmente había sido una cosa muy chistosa.

Luego hicimos *Los ambiciosos* (1959), una obra brasileña que originalmente se llamaba *La fiebre sube a El Pao*. Fue una coproducción con Francia, en la que por parte de México estábamos el coproductor Gregorio Walerstein, Luis Buñuel, María Félix como intérprete, y yo; y de París vinieron Gérard Philipe, Jean Servais, y el productor Raymond Borderie.

Fuimos a Acapulco a una locación que necesitaba la película. Allí recibimos el periódico y en ese momento nos enteramos que una película que habíamos hecho don Luis Buñuel y yo acababa: *Nazarín*. Entonces le dije a don Luis:

—Le ofrezco a usted un coctel hoy por la noche; que vayan todos a celebrar el triunfo de su película, de nuestra película, en Cannes.

Yo tenía alquilada la casa de Pepe Limantour, quien gentilmente nos la dio, y ahí citamos a todos a las seis de la tarde para tomar la copa. Fueron Gérard Philipe, María Félix, Borderie, Buñuel, todos.

Luis Buñuel siempre tuvo una deferencia especial con mis hijos, desde muy chiquitos. Los vio crecer y los quería mucho. Me preguntó:

—¿Dónde están tus hijos?

—Están en la playa.

—¡Ah, qué caramba! Quería saludarlos.

—No, no tardan.

Mis hijos en realidad estaban con sus primos y otros dos amigos, y con ellos estaba la hija de la cocinera, la más chiquita, una negrita de Acapulco con sus trenzas para arriba, una niña preciosa. Le tenía algo preparado a don Luis. En el momento que empezamos a tomar la copa, alcé las manos y pedí:

—Silencio, por favor. Quiero hablar.

Creyeron que iban a empezar los brindis y los discursos. Pero lo único que dije fue:

—Nada más les ruego un momento de silencio.

Entonces palmeé fuerte, se abrió la puerta de la cocina y fueron saliendo todos los niños en fila india cada uno con una flor en la mano. Llegaban y le daban la flor y un beso a Luis Buñuel. Al cuarto niño, Luis Buñuel ya tenía los ojos aguados de la emoción que sentía, realmente estaba muy emocionado, le llegó muy hondo el gesto de los niños. Se levantó para romper ese momento de tensión (siempre trataba de romperlos, y yo le ayudaba mucho, pues terminada una escena en que él estaba conmovido, rompíamos fácilmente la tensión con algún chiste) y vino volando a decirme:

—Ha metido usted la pata, amigo Figueroa.

—¿Por qué?

—¿No sabe usted que el señor Borderie es un racista tremendo?

—A mí qué me importa que sea un racista el señor. Allá él.

Entonces me dice:

—No, pero yo se lo compuse, porque naturalmente somos amigos. Me preguntó si todos los niños eran hijos de usted, y le dije: "No, no, no, la niña negrita no es hija de Gabriel Figueroa, es hija de su mujer con Paul Robson" —aquel cantante negro americano fabuloso.

Así me defendía don Luis Buñuel.

Después vinimos aquí a México a hacer los interiores de *Los ambiciosos*, y don Luis recibió un recado del embajador de la Unión Soviética, que quería ver la filmación y quería conocer personalmente a Gérard Philipe, porque sus ideas eran muy afines a las suyas.

Entonces llegó el embajador al set acompañado por otra persona. Pusieron sillas, se sentaron, tomaron café. Cuando terminamos las escenas, se levantó el señor embajador para despedirse y le dijo a don Luis que si no era posible que nos tomaran una fotografía para conservar el recuerdo con Gérard Philipe, con María, Luis y yo. Nos formamos todos. Como Luis y yo llegamos al final, nos pusimos en los extremos. Tomaron la fotografía y el señor embajador se retiró.

Para hacer una broma, le pedí al fotógrafo de fijas que hiciera una copia tal como estaba y otra en la que nos pusiera unos cucuruchos blancos como los del Ku Klux Klan a Luis Buñuel y a mí (para no perder nuestra visa en la embajada americana porque el señor embajador de la Unión Soviética estaba en medio).

Todos vieron la fotografía, se rieron, dijeron que era buena puntada, etcétera.

Poco tiempo después, el embajador le habló a Buñuel y le dijo:

—Don Luis, me cambian de embajada, me tengo que ir de México, no he recibido la fotografía y me gustaría llevarme ese recuerdo, ¿fuera usted tan gentil de proporcionarme una?

—Cómo no —le dijo don Luis—, ahora se la mando, se la voy a buscar y yo mismo se la envío.

La buscó y vio las dos fotografías. Él tenía dos copias nada más, una con los capuchones blancos y otra sin ellos. Pero se distrajo en el momento, porque tenía un cajón lleno de fotografías, metió una en el sobre y la mandó al embajador.

A los dos días llegó un reportero a hacerle un reportaje. Le pidió unas fotografías y a la hora de buscarlas, vio que él tenía la fotografía sin los capuchones y que le había mandado al embajador la de la broma. Me llamó por teléfono inmediatamente, me explicó lo sucedido y me dijo:

—Gaby, ¿qué vamos a hacer?

—Bueno —le contesté—, en primer lugar, "vamos" es mucha gente, porque usted fue el que mandó la fotografía, ¿no?, entonces la responsabilidad es suya. Pero mire, don Luis, ni se apure, déjelo al buen sentido del humor del señor embajador y punto.

Más tarde tuvimos una aventura bastante bonita. El escritor Oscar Lewis, autor de *Los hijos de Sánchez*, cuando ya tenía las grabaciones hechas, pero aún no trascribía nada al libro, quiso que Luis Buñuel, y de paso yo también, conociera la obra para ver si la podíamos filmar.

Nos invitó a su casa y fuimos a una sesión que duró como tres o cuatro horas, en las que escuchamos todos los casetes originales, las grabaciones que hizo para *Los hijos de Sánchez*. Resultó muy interesante y todo, pero fueron otros, no nosotros, los que se tropezaron con el grave problema de la censura mexicana. Doña Carmen Báez, que en ese momento sustituyó por su muerte a don Jorge Ferretis, director de Cinematografía, prohibió que se hiciera la película. La quería hacer, no el grupo de Buñuel, sino otro que había pedido el permiso para una producción italiana que dirigiría Vittorio de Sica. De Sica vino a México, habló conmigo para ver si quería fotografiar la película, le respondí que sí, que tenía mucho interés, y me comentó que la iba a interpretar Sofía Loren, y que tenía todo lo mejor para hacer una gran película, pero como fue prohibida, no pudimos hacer nada en ese momento. Años después fue cuando se dio el permiso, pero entones es cuando se debió prohibir la película, porque resultó muy mala tal como se hizo; yo la fotografié, pero la película fue muy mala.

Cuando filmamos *El ángel exterminador*, en 1962, que fue la penúltima película que hicimos con don Luis, estábamos en un set todo cerrado —porque la propia historia así lo exigía—, cuando recibimos la agradable sorpresa de la visita de Marilyn Monroe. Todo el mundo salió a verla. pero yo me quedé cambiando el alumbrado porque empezaríamos otra secuencia. Me quedé solo con mis ayudantes trabajando, cuando de repente apareció Marilyn Monroe y aquellas gentes se sorprendieron por la familiaridad con la que preguntó:

—¿Y dónde está Gaby?

Nos saludamos efusivamente, era una mujer muy guapa, muy inteligente y muy atractiva en su trato. Tengo una fotografía en la que le estaba explicando por qué el set era cerrado.

A Marilyn Monroe la había conocido en Inglaterra, en una visita que hice a Londres. Mi amigo Jack Cardiff, ese gran fotógrafo, me invitó al set, donde estaba haciendo *El príncipe y la corista*, con Marilyn Monroe. Laurence Olivier dirigía y él mismo hacía de príncipe. Fue una visita que me causó una gran impresión. Cardiff me citó a las doce del día en el estudio y llegué muy puntual. Era un cuarto pequeño, más bien un espacio pequeño cerrado, con una silla. "Esta silla es para usted, señor Figueroa. El señor Cardiff no tarda", me dijeron. Todo lo demás estaba cerrado, entonces se abrió una puerta pero no entró nadie. Estuve solo por cosa de cinco minutos, cuando de repente se abrió de nuevo la puerta y entró Laurence Olivier, con un uniforme blanco, ruso; era un hombre grande y, con el monóculo, imponente.

Vino directamente hacia mí y, cuando iba llegando, me levanté.

—¿Es usted el señor Figueroa?

—Servidor de usted, señor Olivier.

Nos habíamos conocido, aunque yo no me acordaba en ese momento, cuando estuve en Hollywood con William Wyler, y él estaba trabajando con Fredric March.

Se acercó, me dio la mano y me dijo:

—Tengo un enorme gusto en conocerlo. Estoy muy familiarizado con su trabajo y lo admiro mucho, es usted un gran artista. Mucho gusto, con permiso.

Y se retiró.

Después salió Cardiff y le reclamé:

—No me andes haciendo esto. No le pude contestar ni gracias ni nada, no pude emitir una sola sílaba por la impresión que me causó y la sorpresa de que se dirigiera a mí por mi nombre.

Comimos, después regresamos al set y ya estaba allí Marilyn Monroe. Me esperé, porque me la iban a presentar. Había unas sillas, pues como diez personas iban a ver la filmación.

Laurence Olivier estaba allí preparando, ensayando con unos actores, cuando vino Cardiff y me dijo:

—Si no quieres no lo hacemos, pero ahí está una periodista de Nueva York que se interesa en hacerte una entrevista. Supo que estabas aquí. ¿Quieres?

—Bueno, cómo no.

Me la presentó, estaba al centro de toda la fila de gente. Hice una cita con ella, le dije en qué hotel me hospedaba y me contestó:

—Mañana le llamo a mediodía y tenemos la entrevista.

—Con todo gusto.

Ya no había más que hablar, me iba a retirar cuando me dijo, señalando a un señor que tenía junto:

—¿Ustedes no se conocen?

—No tengo el gusto.

Entonces aquel señor se desenrolló, porque medía 1.90 o algo así, y resultó que era Arthur Miller, el marido de Marilyn Monroe.

—Mucho gusto —me dijo—, ¿es usted mexicano?

—Sí, fíjese que sí... Conocemos muy bien su obra en México, es muy interesante.

—Oiga, hay algo que le quiero preguntar, porque cedí a un japonés los derechos de una obra teatral.

Me platicó que le había dado los derechos de *Las brujas de Salem* a Seki Sano y quería saber si se había estrenado.

—Sí, se estrenó.

—¿En dónde?

—En el Palacio de Bellas Artes —como él no conocía México, agregué—: En el Palacio de Bellas Artes, que es el teatro de más prestigio y el mejor de México.

—Ah, muy bien, y ¿cuánto tiempo duró?

—Eso no se toma en cuenta en Bellas Artes, porque tienen compromisos con concertistas y es un teatro del Estado, las obras no pueden tener la duración que tienen en otro teatro, ni las mismas entradas.

—¿Con qué actores?

—Lo mejor —Ignacio López Tarso había sido uno de ellos—. Y Seki Sano es muy buen director de teatro, así que su obra estuvo muy bien puesta.

Entonces rápidamente me preguntó:

—¿A usted le gustó?

—Sí, fíjese que sí. Y algo de lo que más me gustó es el paralelo que hay en su obra entre la persecución contra las brujas y la vida política actual de los Estados Unidos.

Como él había salido un poco volado de Estados Unidos, pues lo habían citado en Washington y tuvo ese lío del macartismo, volteó para todos lados para ver si alguien estaba escuchando, me cogió del brazo, me metió a un set que estaba vacío y ahí me dijo:

—*You are right*.

En otra ocasión, estábamos Luis Buñuel y yo en un coctel, y a don Luis le estaban presentando a toda la gente que estaba allí. De repente, pasó una muchacha muy atractiva, muy bonita, y se la presentaron.

—Don Luis, le presento a Paulina Lavista.

—Pues mucho gusto.

Le dio la mano, ella siguió su camino porque venían otras personas, pero todavía le preguntaron:

—Usted sabe quién es ella, ¿verdad?

—No, ¿cómo voy a saberlo? Me la acaban de presentar y no sé quién es. Veo que es muy guapa.

—¡Ay, don Luis, por Dios! Es la hija del compositor de la música de sus películas.

Entonces don Luis se queda pensativo, se concentra y, muy extrañado, pregunta:

—¿Wagner?

Me parece que ésta es una de las anécdotas que muestran mejor su sentido del humor.

Le preguntaban con frecuencia muchas cosas sobre sus películas. *Belle de jour*, por ejemplo, siempre motivaba una cosa morbosa, erótica. Un día, en otro coctel, se le acercó una señora y le dijo:

—Oiga, don Luis, vi *Belle de jour* y me gustó muchísimo, pero me quedé intrigada. El japonés ése que va a la casa de citas traía una caja que aterraba a todo el mundo, ¿qué contenía la caja?

—Pues francamente, señora, no le podría decir, porque nunca me asomé dentro de la caja.

Conservaba todos esos misterios de una forma fabulosa.

Tiempo después, en uno de esos viajes que hizo a México, me llamó don Luis. Le habían hecho una propuesta muy bonita, no de una película, sino de un encuentro en Estocolmo. Querían hacer una cosa original, y la idea era presentar a tres grandes directores —que eran Luis Buñuel, Federico Fellini e Ingmar Bergman—, pero acompañados de sus fotógrafos para que estos fotógrafos hablaran de cuál era la forma de trabajar y el carácter de cada uno de los directores. Don Luis me mandó una carta, invitándome al encuentro, en la que me decía: "Lo he seleccionado a usted como mi fotógrafo predilecto para ir a Estocolmo a este asunto". Pero ahí mismo, en la carta, afirmaba que era muy posible que no asistiera porque era invierno y a él le aterraba la nieve y a Fellini también. Desgraciadamente no se pudo llevar a cabo. Hubiera sido muy divertido y muy importante, sobre todo para el mundo cinematográfico y por la aportación que harían los directores, pues nuestros comentarios, a menos que habláramos profundamente de un estilo y demás, no eran tan significativos.

Muy frecuentemente, Luis Buñuel nos invitaba a su casa a hacer una paella o nosotros lo invitábamos a la nuestra. La última invitación fue, al acabar un ciclo de sus películas, por medio de Lucero Isaac, que estaba trabajando con Costa-Gavras en una película que hicieron en México: *Missing*. Costa-Gavras, muy gentilmente, quería conocerme. Conocía mi trabajo, pero no personalmente. Como trabajaban los domingos y los lunes descansaban, le dijo a Lucero:

—Un lunes puede ser el encuentro. Invítalo un lunes.

Al poco rato me habla Lucero, y me dice:

—Ya le dije a Costa-Gavras, de plano, que tú lo invitabas a comer. Ya está hecho. Este lunes puede ir. ¿Tú estás listo?

—Sí.

—También me acabo de encontrar con Luis —era muy amiga de Luis Buñuel y se querían mucho—, lo vi un poco triste, así que lo invité a la comida de tu casa.

—Pues qué bueno. Sí, dile a él y a Jean que vengan a comer, yo encantado.

Entonces vinieron don Luis, Jean, Costa-Gavras y una amiga nuestra, una rubia muy guapa, *La Güera* Gómez. Comimos y tomamos algunas copas. Estábamos en la comida muy alegres, cuando Tolita, mi hija, empezó a hacer la suerte de poner en desequilibrio un salero sobre la mesa y otras más por el estilo, pues se sabía dos o tres, y Luis las adivinaba.

—Eso es un principio físico —le decía—, pero magias, yo no sé hacer magias.

Entonces hizo un juego en el comedor de la casa, en una mesa circular. En el juego se suponía que le encajaban un puñal a alguien, Luis se escondía para no ver qué pasaba y luego tenía que adivinar ¿a quién habían apuñalado?, ¿dónde se lo habían encajado?, y ¿dónde estaba escondido el cuchillo? Así que don Luis se salió del comedor para adivinar todo aquello. Costa-Gavras lo tomó muy en serio y dijo que él podía trasmitir el pensamiento y que quizá Luis también. Nos organizamos y al rato dijimos: "Ya estamos listos". Luis entró conducido por *La Güera* Gómez, que lo tomó de la muñeca porque Luis estaba actuando como si estuviera en trance, viendo hacia el infinito, sin ver a nadie. Dio la vuelta alrededor a la mesa y a la segunda vuelta se paró junto a la persona que se suponía que habían sido apuñalada, gracias a la seña de la muchacha, que le apretaba la muñeca. Entonces Luis se paraba, empezaba a decir: "Fue aquí, fue aquí", y como *La Güera* había visto todo, le daba la señal, y después le indicó dónde estaba escondido el cuchillo. Recibió grandes aplausos, pero no conforme, lo hizo tres veces. Y así siguió, jugando como un niño. Esto fue un año antes de que él muriera.

Después puso a una de las muchachas de espaldas hacia él para que se cayera atraída por el "fuero magnético" de sus manos. Costa-Gavras estaba tirado en el suelo de la risa y mi hijo Gabriel estuvo tomando fotografías todo el tiempo.

A la salida, Luis me dijo:

—Gaby, cómo le agradezco esta invitación. Créamelo: tenía yo años de no reírme como me reí este día. Muchísimas gracias.

Fueron las últimas frases que le oí. Nos dimos un abrazo que fue el último, pues no volvimos a vernos, y nos despedimos para siempre.

CAPÍTULO XV. ANTONIETA

En 1951 se presentó una propuesta para hacer una coproducción americana. Me llamó Blumenthal –*Blumi*, como le decíamos–, que era gerente del hotel Reforma en la ciudad de México y del Casablanca en Acapulco, una persona que impulsó mucho el turismo aquí y era gran amigo mío.

–*Kid* –como me decía–, fíjate que estuvo aquí David O. Selznick, ese gran productor norteamericano de cine casado con Jennifer Jones, y me preguntó si, tomando en cuenta el tipo de su mujer, no habría alguna historia interesante para que pudiera interpretar a una muchacha mexicana. Le dije que había escuchado una conversación tuya con otras personas y que tenías en proyecto hacer *El puente en la selva* de Traven.

Añadió que Selznick había tomado en renta una casa en Acapulco para estarse una temporada. Era Semana Santa y yo tenía el plan con Julio Bracho, como director, de ver locaciones para esta película que nos interesaba mucho. *Blumi* nos propuso que fuéramos a Acapulco para hablar con Selznick y nos ofreció una habitación en el hotel Casablanca.

Nos trasladamos a Acapulco Julio Bracho y yo. Llamamos por teléfono al señor Selznick y nos dijo:

—Vamos a vernos una hora diariamente, de cuatro a cinco, para platicar de este plan, para poderlo estudiar.

Mientras daban las cuatro de la tarde, nos fuimos a la playa de Caleta a asolearnos y nadar. Llegamos a la playa y nos instalamos. Al lado, exactamente, había una familia a la que yo no conocía. Era la familia de Antonieta, mi actual esposa. Iba con su tía Nena, sus primas, amigas, la hija del doctor Zubirán, Martita, etc. Julio Bracho sí las conocía, así que fui presentado en ese momento al grupo de muchachas.

Después de platicar, nos fuimos a ver al señor Selznick. Empezamos a esbozarle cuál era la línea argumental de *El puente en la selva* y se interesó muchísimo. Platicamos y a la hora suspendimos aquello.

Al día siguiente, volvimos a Caleta y en el momento de llegar vi a una joven oceánida, ojiverde, que salía del mar: era Antonieta, muy hermosa. La invité a irnos en una lancha —una tabla de ésas— por ahí y, naturalmente, casi la obligué a remar, mientras yo iba en descanso. Cuando regresamos del paseo, tomamos algo, un ceviche, una de esas cosas, e invité a la familia. Ésta se cargó un poquito pidiendo langosta y todo aquello, sabían que el señor Figueroa pagaba. Teníamos una diversión... una guasa. Empezamos así a vernos todas las mañanas en la playa de Caleta, y comenzamos a hacer una amistad.

Un día nos invitaron a comer a su casa. Fuimos y ahí nos bañamos, porque íbamos en traje de baño. Otro día la conversación que tuvimos en la playa fue un poco distinta. Era sobre música clásica. En ese momento estaba en México Sergio Celibidache, el gran director de orquesta, que tenía fascinadas a todas las mujeres. Era un individuo alto, muy bien parecido, con el pelo largo y un modo particular de dirigir la orquesta. Muchos lo imitan actualmente, pero él lo hizo por primera vez, cuando la dirección, en especial con orquestas filarmónicas, era muy sobria.

Pues bien, salió a relucir Celibidache. Las muchachas, como todo el mundo, estaban enamoradas de él, pero no lo conocían.

—Pues yo lo conozco y es amigo mío —les dije.

—¡Cómo es posible! —contestaron.

—Sí, es amigo mío —insistí.

—¿Nos lo presenta usted? —preguntaron a coro.

—Claro que se los presento. Ahora que lleguemos a México tendré ese gusto, pues está dando conciertos.

Años atrás, hicimos una película en el Estudio Azteca que producían Simón Wischnack y Gregorio Walerstein, y éstos invitaron al señor Celibidache. A la hora de la comida, como sabían que yo había estudiado música y sabía un poco del tema, me invitaron a comer con él. Durante la conversación, el señor Celibidache me preguntó si había ido a alguno de sus conciertos. Le dije:

—No, nunca he podido conseguir boletos para sus conciertos —realmente todos sus conciertos estaban completamente agotados. Me respondió:

—Este domingo es el último concierto que voy a dar y quiero invitarlo. ¿Cuántos boletos necesita usted?

—Dos, porque mi cuñada Esperanza va conmigo. Le agradeceré que nos los mande, porque no es posible conseguirlos.

—Perfecto.

Llegué y le dije a Esperanza:

—Vamos a ir al concierto del domingo a las once de la mañana en el cine Metropolitan.

Se entusiasmó muchísimo. El domingo, ya se había arreglado para el concierto, pero los boletos no llegaban. Dieron las diez de la mañana y seguíamos sin boletos.

En eso sonó el teléfono. Era el señor Celibidache:

—Cómo me costó trabajo encontrar su teléfono. Llamé al señor Wischnack, quien tuvo que ir a su oficina a buscar su número de teléfono y poder dármelo. Le llamo para decirle que yo tampoco pude conseguir boletos, pero quiero hacerle una propuesta: estoy hospedado en el Regis, si no tienen inconveniente, vengan por mí al hotel su cuñada y usted, los paso al teatro y les pongo un par de sillas en el foro y ustedes escuchan el concierto desde ahí.

Me pareció maravilloso. Fuimos por él. Entramos al teatro. Mandó a traer dos sillas y así, fuera del foro, escuchamos el concierto y se lo agradecimos mucho.

Desde entonces, cada vez que venía, porque venía muy seguido a México, nos buscábamos. Cenábamos juntos y llevábamos una verdadera amistad. Por esto es que me podía comprometer a presentárselo a Antonieta y a su prima Martha, que eran las que tenían interés en conocerlo.

De regreso a la ciudad de México, ya con la dirección y el teléfono de Antonieta, lo primero que hice fue mandarle un perfume, porque usaba uno que no me gustaba. Le había dicho que era un experto conocedor de perfumes. Siempre había unos grandes agarrones por los perfumes en High Life, la famosa tienda, porque Agustín Lara mandaba traer muy buenos perfumes para María Félix, y yo le volaba algunos. Total, le mandé un buen perfume y le dije:

—Ya tengo las entradas.

Fui con Antonieta y su hermana Beatriz al concierto y al final pasamos al foro y se los presenté. Así, poco a poco, en medio de la filmación del *Puente*, en medio de los conciertos de Celibidache, en medio de los olores a perfumes exquisitos, fue creándose un amor. Nos enamoramos y al poco tiempo nos casamos.

Nuestro noviazgo contaba, desde luego, con algunas críticas por parte de su familia. Como ya estaba yo un poco fuera de edad en ese momento —es decir, para el matrimonio, pues los muchachos se casan a los veinte años, y yo ya estaba cerca de los cuarenta—. Siempre se hablaba de mí y tenía la fama, bastante asegurada en México, de ser un *playboy*. En todos los momentos del cine y de mi vida había sido más o menos una especie de *playboy*. Con esa fama, bombardeaban a la familia diciéndole: "Este señor no se casa", "Este señor es así y asado". El caso es que un buen día, la mamá de Antonieta y su tía Nena Carillo, la esposa del licenciado Alejandro Carillo, a quien estimo mucho, vinieron a la casa de Coyoacán para ver cómo estaba el asunto, si el noviazgo era en serio, si iba a haber matrimonio o no. Yo estaba acompañado de mi hermano. Entraron a la sala y empezó muy seria la conversación, pues no nos conocíamos, y entonces la Nena Carrillo, que fue la que se mandó, dijo:

—Bueno, quiero saber de este asunto, si ya tienen planeado el matrimonio y cómo va a ser, porque a mí me encantaría que mi sobrina saliera vestida de blanco.

Roberto la interrumpió:

—Yo exijo lo mismo, exijo que mi hermano salga de blanco también.

Todos nos reímos y se rompió el hielo. Hablamos y dijimos que era en serio, que yo quería mucho a Antonieta y que estaba dispuesto a casarme a la brevedad, por lo que no debían tener la menor preocupación, que ya planearíamos el matrimonio en la forma en que nos gustaría hacerlo.

El matrimonio lo planeamos tres días antes de que se efectuara. Yo estaba terminando una película y tratando de ver cuándo podía tener tiempo libre para irnos de luna de miel sin preocupaciones de trabajo. En ese entonces tenía mucho trabajo.

Así, tres días antes, ya era seguro que terminaríamos la película en viernes. Era el mes de diciembre, pero daba la casualidad de que ese viernes que planeábamos casarnos era el día 28, y pensé que si invitaba yo para el 28, nadie me lo iba a creer, por ser día de los Santos Inocentes, así que lo tuvimos que hacer al día siguiente, el 29 de diciembre.

El matrimonio civil se efectuó gentil y generosamente en la casa del licenciado Carrillo y la Nena Carillo, tíos de Antonieta. El acontecimiento era temprano, a las siete de la noche, porque tenía apartados los boletos para salir a Miami y pasar la luna de miel en La Habana.

Como primera precaución, muy temprano, hacia las diez de la mañana, llamé por teléfono a un par de amigos íntimos que tenía en La Habana: Manolo Alonso y *El Guayo*. Me dijeron que el señor Alonso no estaba en Cuba. No obstante, pedí una reservación en el hotel Nacional y en Varadero, informando que me casaba e iba a pasar mi luna de miel allá.

Como a las once de la mañana me llamó por teléfono Manolo Alonso.

—¡Quihúbole, Manolo!

—No me grites, si estoy en México. Me acaban de avisar de mi oficina y todo está listo para ti. Allá nos veremos, pero yo no sabía que tú te casabas. ¿Es en serio?

—Es en serio.

Lo invité a la boda. En la boda civil, los testigos principales de parte de Antonieta eran el licenciado Carrillo, Manuel Padrés, Luis Barragán, Hugo Lavín y Alfonso Castro Valle, hermano de su mamá (no me acuerdo exactamente de todos sus testigos, aunque todos eran gente muy importante), y yo llevaba a nuestro tío don Isidro Fabela, a Adolfo López Mateos, al licenciado Ernesto López Amador, amigo mío, y a Dani López, mi ayudante. Así se efectuó el matrimonio civil en casa de la familia Carillo.

Hubo comentarios entre los invitados mientras nosotros estábamos muy apurados oyendo a don Próspero Olivares Sosa, casamentero número uno de México. Cuando nos despedimos, algunas personas nos acompañaron al aeropuerto, entre ellos Alfonso Castro Valle. Como era subdirector de ceremonial de la Secretaría de Relaciones Exteriores, era alguien muy conocido e importante. Él y Manolo Alonso fueron a la plaza Garibaldi y llevaron a todos los mariachis que encontraron. Con sus influencias, Alfonso Castro Valle logró que entraran los mariachis y todos los invitados hasta la pista donde se toma el avión. Allí formaron un círculo, Antonieta y yo bailamos al centro, mientras los mariachis tocaban. Fue una despedida muy bonita, inolvidable, que les agradezco.

Nos fuimos a La Habana. Llegamos, y en la primera plana del periódico salió una fotografía de cuando bajábamos del avión. Yo era muy conocido allá. Después visitamos Varadero. De regreso a La Habana, nos comunicamos con un amigo muy gentil que hemos querido de toda la vida, el licenciado Benito Coquet, quien era el embajador de México allá. Al saber que estábamos ahí, él y Julia, su mujer, muy gentiles, nos invitaron al Tropicana, que era, eso creo, el mejor *night-club* del mundo, un lugar muy divertido, precioso. Allí fuimos a cenar con ellos. Antonieta no tomaba nunca y a la segunda copita se desbalanceaba un poco. Esa ocasión, tras de tomar una copa, me quiso besar frente a todos y le dije:

—Hombre, espérate, el embajador está aquí.

—No me importa —y ¡vámonos!

La pasamos muy bien con ellos y guardamos recuerdos muy gratos de ese viaje. Después de una luna de miel maravillosa, nos instalamos aquí, en México. Así que le debo a David Selznick y a sus charlas sobre *El puente en la selva*, el haber conocido a Antonieta.

CAPÍTULO XVI. CUBA

En 1947 fui a Cuba por primera vez, cuando era presidente Carlos Prío Socarrás. Me contrataron para hacer una película allá y, como no conocía la isla, el senador que iba a pagar la producción me invitó a llegar con una semana de anticipación para que me fuera ambientando. Cuando llegué a La Habana me esperaba un Cadillac cuyo chofer, un joven negro, muy agradable, estaba encargado de acompañarme, pues el senador estaba en México. Me llevó al hotel y después le dije que quería ir a comer.

—¿Al señor le gusta comer bien?

Me llevó al Floridita, el mejor restaurante que había, famosísimo en todo el mundo. Cuando llegamos a la puerta, me dijo:

—Cuando usted salga, señor, aquí me encuentra.

—No, yo no como solo.

En lo que menos pensé fue en la cuestión racista, así que lo cogí del brazo y lo arrastré al interior del lugar. Creo que se puso pálido, cuando nos sentamos parecía de hielo y es que, además, era el lugar más helado del mundo. No nos atendía nadie. Los meseros pasaban junto a nosotros sin vernos, hasta que pegué a una copa y llegó un mesero algo agresivo.

—¿Quiere traerme la lista, la carta o como le llamen aquí? Invité a mi amigo a comer.

El mesero se me quedó viendo:

—¿Es usted mexicano?

—Sí, señor.

—¡Ah! Un momento.

Avisó que yo era mexicano y como además era conocido, toleraron que el negro comiera conmigo. Naturalmente me convertí en su héroe, me decía:

—Tú eres el feró, hace lo que quiere.

Luego me llevaba a su barrio y me advertía que no me bajara del coche porque me volaban la cartera. Llamaba a distintas personas y venían compositores populares a cantar canciones junto al carro. En una de ésas le pregunté si no tenía novia.

—Bueno, tenía.

Me hizo una descripción de una mulata con una cintura que cabía en las manos cerradas, de ojos relampagueantes, un cuerpazo. Ya estaba yo a punto de decirle que me diera su teléfono si ya había terminado con ella.

—¿Pero qué pasó?

—Bueno, le voy a platicar a usted. Un día la invité al cine y me dijo que sí. Llegué a su casa y me abrió la puerta su padre, un policía negro. "Pasa", me dijo. "Ya sé que vienes por mi hija, ya le di permiso. Quiero decirte que si tú tienes malas intenciones con ella, te pego un balazo en la cabeza". Entonces le dije: "Ya me voy, señor, hasta luego". Le di la mano y no volví a ver a la muchacha: las intenciones eran manifiestas.

En ese viaje conocí a Ernest Hemingway, gran escritor, el rey de los daiquiris; tenía un diploma de haberse tomado, creo, ocho daiquirís dobles en el Floridita. Era un gran conversador, un hombre que vivió siete vidas al mismo tiempo: era cazador, apostador, escritor, todo lo hacía bien. Me platicaba que él, como escritor, no se sentía satisfecho de las películas que habían hecho de sus obras. Tuvo un pleito tremendo con Darryl F. Zanuck, que había hecho una de esas cintas con la Twentieth Century Fox. Zanuck era un pesado, yo lo llegué a conocer cuando empezaba. Un día, en España, Hemingway iba por la calle con otro amigo y se cruzaron con Zanuck, que caminaba por la acera de enfrente. El amigo atravesó la calle para saludarlo y Hemingway nunca más volvió a hablarle. A ese grado se tomaba las cosas, no toleraba nada.

En 1953 fuimos invitados a La Habana para filmar la película *La rosa blanca. Vida de José Martí*. Emilio Fernández era el director y Mauricio Magdaleno e Íñigo de Martino hicieron el guión. Nos supervisaba la Comisión Organizadora de los Actos y Ediciones del Centenario y del Monumento de José Martí, que encabezaba Francisco Ichazo y auspiciaba la película.

Fue una buena película, digna, a la altura que se necesitaba, con buen material de batallas y la secuencia del alazán, cuyo nerviosismo nos dio el clima del inicio del combate y la muerte de Martí.

Comenzamos a filmar con gran curiosidad de la gente. Mientras el rodaje avanzaba, me invitó la Universidad de La Habana a dar una plática sobre cine, en especial a explicar cómo había conseguido el volumen en la película *Cuando levanta la niebla*. Así que la proyectamos y comentamos, y los estudiantes quedaron satisfechos. Pero esto los llevó más tarde a pedirme que en la película de Martí debía incluirse su testamento político. Hablé con Emilio, éste aceptó, y de allí nació una amistad con Alfredo Guevara, de la Universidad.

En viajes anteriores me había dado cuenta de las "manipulaciones" de los gobernantes Carlos Prío Socarrás y Fulgencio Batista, aparte del enorme enriquecimiento de ambos. Cuando vino la revolución de Fidel Castro en la Sierra Maestra, la vimos con gran simpatía y, desde México, por medio de mi amiga Guille Guajardo, casada con un revolucionario cubano, colaboramos con ellos y les mandé dinero y una pistola calibre .38. Tengo entendido que algunos bancos norteamericanos estaban respaldando a Fidel Castro.

En 1958, mientras estábamos en Cuautla filmando *Nazarín* con Luis Buñuel, apareció Alfredo Guevara, con gran sorpresa de mi parte. Me aclaró que tenía dos años en México trabajando para Manolo Barbachano Ponce, que había salido perseguido de Cuba, "pero ahora estoy fuera de la política", me aclaró.

Unos meses después sonó el teléfono de mi casa a las 12 de la noche.

—Soy yo, Alfredo Guevara, me urge hablar contigo, es muy importante...

Llegó a la casa con otras personas.

—Te mentí, estoy con Fidel. Me informaron que las autoridades judiciales detuvieron una camioneta con armas destinadas a Cuba, así como una avioneta, fuera de la capital.

Querían que hablara con el presidente López Mateos para que les regresara la avioneta, pues sería utilizada por Guevara para volar a La Habana un día antes de la entrada de Fidel Castro. Era algo importantísimo.

Le dije a Guevara que no podía solicitarle eso al señor presidente, pero que se presentara para hablar con Isidro

Fabela, persona de gran influencia, a quien yo le explicaría previamente la situación.

Alfredo lo hizo e Isidro Fabela explicó al juez que la avioneta no tenía nada que ver con la camioneta cargada de armas, que ésa sí estaba destinada para Cuba. Devolvieron la avioneta y Alfredo pudo llegar a tiempo.

Actualmente Alfredo Guevara es el representante de Cuba en la UNESCO.

CAPÍTULO XVII. TIERRA DEL FUEGO

En 1955 recibimos una propuesta para hacer una película para la industria argentina. Tenían una obra que se llamaba *La Tierra del Fuego se apaga*, que iba a ser interpretada por la artista argentina Ana María Lynch y el actor italiano Erno Crisa, dirigida por Emilio Fernández y fotografiada por mí.

Emilio se fue para allá e hicieron la adaptación. Yo no conocía la obra ni la adaptación para nada. Me invitaron, me hablaron por teléfono, me enviaron cartas y telegramas para que yo fuera, más tarde contratos, finalmente firmé el contrato y fui. Me había resistido porque no sabía como íbamos a quedar realmente; habiendo vivido con argentinos en Hollywood, conocía muy bien su carácter y no quería hacer una película y quedar mal con ellos en su país.

Total, fui a la Argentina con mi equipo de trabajo: Daniel López, Pablo Ríos e Ignacio Romero. Llegué a Buenos Aires y el primer día fui a darle las gracias al secretario general del sindicato por haberme permitido trabajar —porque hubo un cierto manipuleo previo: no querían darme permiso de trabajo porque los fotógrafos se oponían. (Toda esta historia va a sonar un poco presumida, pero no hay qué presumir, sólo estoy hablando de los factores reales del asunto.) Entonces llegué a agradecerle al secretario general del sindicato de los técnicos argentinos. Me enseñó todo el edificio del sindicato, la clínica, y fue muy amable. Después fuimos a tomar una copa, pero el brindis que hizo el señor ya no fue muy buena bienvenida, porque dijo:

—Brindo porque salga usted muy bien librado de su trabajo aquí y porque esté a gusto en nuestro país, pero no creo que vaya usted a enseñarnos nada.

—Me voy a permitir contestarle el brindis. Le agradezco sus palabras de bienvenida y quiero decirle que yo no soy profesional de nada, soy discípulo y alumno de todo, así es que no vine aquí a enseñar sino a aprender, y ahorita me acaba usted de dar la primera lección. Muchas gracias.

Todos se quedaron petrificados y al día siguiente salimos para Río Grande, Tierra del Fuego, Patagonia, que era donde íbamos a trabajar.

En el ínterin, me informé de cómo era aquella locación. ¿Qué tenía? Ningún argentino me pudo explicar, porque ninguno había estado allí nunca. En Buenos Aires hice algunas pruebas, nada más para medirme con el técnico del laboratorio, que era Carlitos Conio. Vio las pruebas que hice para medir mi exposición y, al estar hablando con él de las gamas, se dio cuenta de que yo sabía algo de laboratorio.

Fue un viaje muy largo, en un trimotor hicimos cerca de seis horas para llegar allá. Yo no llevaba ni equipo eléctrico, ni planta generadora, sólo reflectores de pizarras, reflectores de sol plástico.

Cuando llegamos, me encontré con una dificultad que no había tenido en mi vida, en toda mi carrera, y no había oído de nadie que la hubiera tenido hasta ese momento. Era una locación con un viento tan fuerte que, si te parabas de espaldas al viento, el pelo te cubría el rostro por completo. Aquel viento sólo se quitaba en invierno y estábamos en verano. Había que trabajar con ese viento todo el tiempo. No podía usar las pizarras de los papeles plateados porque daban un *flicker*, como le llamamos en el cine, pero la posición del sol era perfecta porque desde las seis de la mañana hasta las ocho de la noche el sol estaba a 45°, es decir, era la iluminación perfecta, clásica, a 45°.

Vi que el sol estaba muy bien, hice una prueba como de cuatrocientos pies y la mandé al laboratorio. Le sugerí al técnico que en lugar de 6.5 gama, que ése era el proceso que se usaba en todo el mundo para blanco y negro, utilizara la gama 9.5 o diez para sobreponer y llenar los huecos de los medios tonos no con luz, porque no podía usar los reflectores, sino a base de un contraste de laboratorio. Comenzamos a hacer tomas, pues tenía la seguridad de lo que estaba haciendo, para mí no era una prueba, la prueba era para el laboratorio, para que subieran la gama y vieran el resultado. A los tres días me llegó uno de los telegramas más lindos que he recibido en mi vida y decía: "Gama 10.5 exacta. Felicidades. Éste es el material de más alta calidad que este laboratorio ha procesado desde que abrió".

Para mí fue un enorme gusto aquello, además de la alta calidad que tenía, la posición del sol era perfecta, la luz era perfecta; nadie puede conseguir artificialmente esa luz tan perfecta, nadie. Y el viento me ayudaba, porque en cada escena fija las nubes estaban en movimiento, filtradas como las he filtrado siempre. Era una sensación de dinámica. Algunas veces las nubes se venían hacia la cámara o se alejaban con todas las ovejas. Era realmente el ambiente de la obra que estábamos haciendo, era muy hermoso aquello. Trabajamos casi toda la película allí, sólo faltaban los interiores.

A los diez días de estar trabajando, llegó el productor de la película, el señor Cerminati, me dijo:

—Gaby, le vengo a rogar me perdone. Iba yo a salir de Buenos Aires al día siguiente que ustedes, pero por x, y o z he tardado diez días. Al día siguiente le llegó a usted este telegrama...

Era de Antonieta, mi mujer, que me anunciaba el nacimiento de María, mi hija. Así que diez o quince días después iba yo a reaccionar para contestar: "Mil felicidades". Mientras tanto, según me contó después por carta, Antonieta estaba en México angustiada porque no recibía noticias mías y lloraba amargamente en el sanatorio. El doctor la consolaba y le decía:

—Señora, ¿por qué llora usted? Si la niña está preciosa y muy saludable y usted lo mismo.

—No, es por mi marido.

—¿Qué le pasa a su marido?

—Pues es que mi marido está en la Patagonia.

—¡A qué señora tan guasona! ¡Qué va a hacer este señor en la Patagonia!

Regresamos a Buenos Aires. Al secretario general que me había dado la bienvenida, los trabajadores le informaron que yo era un trabajador igual a todos, que no me sentaba en una silla a ver filmar, sino que me paraba y andaba igual que ellos en todas y que era un buen compañero.

Entonces cambió la actitud del secretario general e hizo una cena en mi honor.

Como había un solo laboratorio en Buenos Aires, en él se procesaban todas las películas que se estaban haciendo, así que cuando supieron que yo estaba trabajando quisieron ver lo que estaba haciendo, porque había habido habladas antes de que llegara, que a ver si yo llevaba las nubes de México. Como no conocían las locaciones, no sabían que las nubes eran mejores que las de México. Vieron ellos las pruebas de nuestros *rushes* y todos estuvieron de acuerdo en que era una magnífica imagen la que habíamos obtenido: diez mil ovejas en movimiento y todo el ambiente muy hermoso.

Al día siguiente de empezar los interiores, vino un fotógrafo a pedirme si podía verme trabajar y le dije que cómo no, que lo invitaba. "Una silla para el señor", pedí. Al día siguiente, cuando volteé la cara, había diez fotógrafos viéndome trabajar. Fue algo muy satisfactorio, porque realmente toda la presunción y todo el resquemor se rompió cuando vieron un trabajo realmente espléndido, porque así lo era.

Lamentablemente la película, hay que confesarlo, entre los productos malos que hace uno, era de lo más malo que he hecho en película, no la fotografía, sino como película. La adaptación de la historia era muy desafortunada y de tanto en tanto la pasan en televisión. La película se quedó allí, no llegó a estrenarse en ninguna parte.

Pero respecto a "la gama" en el laboratorio, quiero extenderme un poco, pues es interesante: convertir la gama de 6.5 a 10.5 es lo mismo que en música transportar, digamos, un aria para tenor, que es en llave de Sol, a la llave de Do para que la cante un bajo. En el laboratorio, esta transportación compensaba el área de sombra con un medio tono, con la intención de no tener que usar luz para ese objeto.

En una película anterior, en *Río Escondido*, usé también la gama, pero aquella vez pasamos de 6.5 a 5 para incrementar los negros, sobre todo en los rebozos. Naturalmente, a los blancos había que ponerles luz extra para que no salieran grises. En *Río Escondido*, que considero uno de mis mejores trabajos en blanco y negro, fue la primera vez que usé el panfocus recomendado por Toland, en la secuencia del velorio de noche, y me inspiré mucho en Salvador Dalí para las perspectivas en los exteriores de día. En algunas escenas también usé los escorzos de David Alfaro Siqueiros para darle mayor fuerza a los personajes. Todo esto ayudó al incremento del drama que trazaron Emilio Fernández y Mauricio Magdaleno y que interpretaron magníficamente María Félix, Carlos López Moctezuma y Fernando Fernández. En 1948, *Río Escondido* ganó el premio de la mejor fotografía en el Festival Internacional de Karlovy-Vary, en Checoslovaquia.

Pero volvamos a Buenos Aires. Ana María Lynch, la estrella de la película, estaba casada con Hugo del Carril pero estaban separados, pues allá no había divorcio. Cuando llegamos a Buenos Aires, abría la temporada, que es muy importante allá, sobre todo por el número de teatros que tenían y el ambiente, que era extraordinario. No he visto en ningún país, por ejemplo, a tres concertistas dar conciertos el mismo día, digamos: Michael Ellman, Alfred Cortot en el piano y Ruggiero Ricci en el violín, al mismo tiempo, ni en Nueva York, donde uno es un día y otro al siguiente. Muy importante era la cosa teatral.

Ana María Lynch me invitó al estreno de una obra. Ella, que era muy guapa y se arreglaba fabulosamente, tomaba un palco. Las joyerías, a propósito, le enviaban unas joyas extraordinarias en préstamo, para que toda la gente las admirara con los binoculares y después, quizá, las comprara en sus aparadores. A mí ya me conocían allá por toda la publicidad, por todo lo que habían publicado. Recuerdo que era el estreno de *Doña Inés de Portugal* de Alejandro Casona. Alejandro Guzmán, un representante de actores chilenos, muy amigo de Ana María y muy amigo mío de aquí, de México, fue con nosotros. Al terminar la función, Ana María dijo:

—Vamos a saludar a Casona, ¿lo conoces?

—No, no lo conozco.

Entonces le dije a Alejandro:

—Por favor, adelántate y dile que aquí está Gabriel Figueroa, para que haga un momentito y lo podamos saludar.

El foro estaba completamente lleno de gente que iba a felicitarlo. Alejandro se adelantó. Cuando llegamos al foro Ana María y yo, ya venía Alejandro con Casona señalándome. Casona se paró a unos tres metros de donde yo estaba, abrió los brazos y me dijo:

—Gabriel Figueroa, tú y yo, de tú. Dame un abrazo.

Él era republicano español y sabía de mi entusiasmo por la República y del nexo con los refugiados españoles en México. Nos dimos un abrazo y fuimos a cenar después. Cenamos juntos en otras ocasiones e hicimos una amistad muy cordial y muy hermosa.

CAPÍTULO XVIII. FESTIVAL CINEMATOGRÁFICO DE BERLÍN, 1958

Presentamos *Flor de mayo*, dirigida por Roberto Gavaldón, con María Félix, Pedro Armendáriz y Jack Palance, y basada en una obra de Vicente Blasco Ibáñez. Se filmó en inglés y en español, y parte de la adaptación al inglés se debe a Albert Maltz. La delegación estaba compuesta por Jorge Ferretis, quien era director general de Cinematografía, Roberto Gavaldón, Emilio Gómez Muriel y yo.

Dos edecanes alemanas muy guapas nos llevaron a visitar Berlín Oriental, donde los estragos de la guerra todavía estaban presentes. Cuando regresamos de Berlín Oriental, una de las edecanes nos invitó a tomar té a su casa y me preguntó cuál había sido mi impresión. Le dije que creía que en el momento en que unos pocos soldados rusos atacaran, acabarían pronto y que qué hacían ellas, chicas tan guapas, allí. Me respondió: "En el momento que eso pase, toda la población sabe a dónde ir, qué empleo le corresponde y dónde va a vivir". ¡Vaya organización!

De la UFA (Universum Film AG) nos invitaron al estudio en que filmaban *El barco de los muertos* de B. Traven.

Al coproductor José Kohn, de México, se le había prohibido la entrada a los estudios, por su carácter, naturalmente.

Flor de mayo se presentó en el festival sin pena ni gloria.

Durante la estancia, nuestras señoras salían de compras. A mi mujer le gustaron unos cubiertos con mango de cuerno para doce personas y Emma Gavaldón la convenció de que se los llevara. Mi mujer decía que a mí no me gustaba viajar con mucho peso, así que idearon la forma. Don Jorge Ferretis había comprado un edredón de pluma de ganso y allí ocultaron los cubiertos. Viajamos a Colonia y don Jorge le comentaba con mi mujer: "¡Ay, señora Figueroa, ya estoy viejo, ahora hasta el edredón siento pesado!" Y Antonieta lo animaba: "Don Jorge, usted está muy fuerte, nada de viejo".

De Colonia, don Jorge regresaba a México y nosotros seguíamos a Italia. En el aeropuerto, Emma jaló a don Jorge a un lado para pedirle que llamara a su casa. Mientras apuntaba el teléfono, Antonieta rápidamente sacó los cubiertos del edredón. Lo curioso fue que cuando don Jorge se echó el edredón al hombro, se le voló un poco. Volteó sorprendido para todo lados —lógico, el edredón ya no pesaba—. Se fue hablando solo: "¿Estoy fuerte?"

CAPÍTULO XIX. SIQUEIROS

Estamos en el año de 1960. Habían detenido a David Alfaro Siqueiros y estaba preso en la penitenciaría. Vino a verme Adriana Siqueiros, su hija, para pedirme que intercediera por su libertad con el presidente Adolfo López Mateos. Le dije que lo haría con todo gusto, porque David era amigo mío y lo admiraba muchísimo, y que cualquier cosa que pudiera hacer por él, la haría encantado de la vida.

Concertamos una entrevista para un domingo, día de visita en el penal, y Adriana me llevó con él. Nos dieron un saloncito de actos que tenían allí para el encuentro. Estuvimos platicando como tres horas y media. A cada momento, David me decía:

—Y dile al presidente esto, y dile al presidente esto otro.

David sostenía, de forma muy valiente, como siempre lo fue, sus muy arraigados puntos de vista, pero, naturalmente, en lo que más insistía era en que se le presentara al presidente la iniciativa de derogar el artículo 145 del Código Penal, que había sido creado por don Manuel Ávila Camacho en contra del fascismo, pero con menos cantidad de años penales —me parece que eran seis u ocho años cuando se creó el artículo, pero después Miguel Alemán lo subió a 12 años, para que no fuera posible salir bajo fianza—. Fue en lo que más insistió David, en derogar este artículo para salvaguardar los intereses de todos los librepensadores y no estar en peligro de caer en la cárcel.

Al finalizar la entrevista, le expliqué a David que me era muy difícil retener en la cabeza todo lo que me había explicado en tres horas y media y, sobre todo, que yo cambiaría el sentido de algunas cosas involuntariamente, por lo que le pedí que le escribiera una carta al presidente y que yo me comprometía a entregársela en propia mano. Le garanticé hacer entrega de la carta, aparte de hablar con el señor presidente, darle mi punto de vista y hablar en su favor. David accedió a redactarla. Parte de la carta la transcribimos aquí. Unos días después, por ahí del miércoles, Adriana vino a la casa y me trajo la carta para llevársela al señor presidente. El jueves fui a desayunar con el señor presidente, ya habíamos hecho la cita ex profeso, y se la llevé. Entonces le hablé ampliamente de David, de su trayectoria, de la importancia que tenía como artista en el mundo. Un artista pintor —le explicaba yo— o cualquier artista calificado es un representante de la cultura de un país, y eso es algo que debemos salvaguardar y tener muy en cuenta porque la cultura de México es importante ante el resto del mundo. Total, hablé en su favor todo lo que pude y le dije:

—Te dejo la carta.

—La voy a leer con todo interés. Pero nada más quiero una cosa. Por favor, dímelo, esto lo quiero saber, ¿estás con la idea de que David salga libre?

—Sí, tengo mucho interés en que salga David. Pero las circunstancias han enredado todo.

—Déjame la carta y vamos a estudiar este asunto.

Mi último comentario ese día fue:

—Mira, a los que deberías tener en la cárcel es a todos estos líderes obreros de la CTM, sinvergüenzas que están desprestigiando al gremio.

Al día siguiente López Mateos salió a la frontera, donde tenía una reunión con el presidente Dwight D. Eisenhower.

El sábado anterior les había pedido tanto a Adriana como a Angélica Arenal, la mujer de Siqueiros, que me dieran un tiempo para ver si para el 20 de noviembre lográbamos que, por ser día de la Revolución, David fuera absuelto. Estábamos entonces hacia el mes de octubre. Aceptaron y les pedí:

—Por favor, no hagan ninguna publicación, no hagan ningún movimiento. Déjenme a mí manejar esto, porque voy a seguir encargando con López Mateos directamente este asunto.

López Mateos se fue a la frontera y el sábado me llamó Adriana por teléfono, angustiada y llorando, a las 7 de la mañana.

—Gabriel, ha sucedido una cosa terrible.

—¿Qué ha pasado?

—¿No ha visto usted el suplemento del *Novedades*?

—No —le dije—, me acabo de levantar de la cama.

—Pues hay una entrevista que le hizo Elenita Poniatowska a mi papá, con un retrato de él, y ocupa una plana. Empieza en los términos que le voy a leer.

Entonces me leyó lo que decía. Más o menos, Poniatowska le preguntó:

—Señor Siqueiros ¿por qué tiene los ojos tan irritados?

—Porque acabo de escribir una carta a un malvado alto funcionario y me pasé toda la noche escribiendo.

Adriana me dijo:

—Y esa carta la acaba usted de entregar al presidente.

—Pues lamento mucho esto—le dije—. No sé en qué vaya a parar esto, pero en nada bueno. Esta entrevista no nos favorece en nada.

—Voy a hablar con mi papá —me contestó.

Al día siguiente, el domingo, que era día de visita, habló con David y en la noche me llamó por teléfono.

—Fíjese que ya me aclaró mi papá que el funcionario al que se refería era a Moreno Sánchez —me dijo riéndose.

—Sí, pero en la entrevista no lo aclara. Así es que estamos en una posición muy desfavorable —le contesté.

—Déjeme ver qué puedo hacer en esta situación.

Empezaron a correr los días. Hablé de nuevo con Adolfo, no me contestó nada. Quise saber si había leído la carta, me dijo que sí. Siguió pasando el tiempo. Un día antes del 20 de noviembre apareció una publicación de la esposa de David Alfaro Siqueiros, Angélica, diciendo que el presidente tenía la oportunidad, por ser 20 de noviembre, día de la Revolución, de dejar libres a todos los presos políticos que tenía en la penitenciaria. Después de esto ya no pude, muy a pesar mío, intervenir de nuevo con el presidente.

Tiempo después, cuando David salió libre, Angélica fue a verme con un regalo de David, diciéndome que habían sabido de buena fuente que yo había intentado lograr su liberación con valentía y que David me mandaba un abrazo.

Cárcel Preventiva del Distrito Federal
México, D.F., a 18 de octubre de 1960

(Carta cerrada enviada al señor Presidente de la República por el conducto directo de Gabriel Figueroa)

Señor Lic. Adolfo López Mateos
Presidente de la República
Palacio Nacional
C i u d a d

Señor Presidente:
He hablado con Gabriel Figueroa y lo he hecho con toda la sinceridad humana y política de que soy capaz. Él ha procedido exactamente de la misma manera. Nuestra conversación ha sido de artista a artista y entre dos mexicanos de antigua tradición revolucionaria. En un intercambio de opiniones de tal naturaleza, no podía ni debía excluirse la pasión, pues tal ausencia hubiera mutilado nuestra recíproca verdad. Más aún, al hablar con él lo he hecho consciente de que frente a mí se encontraba una persona de la más alta probidad intelectual y moral, a la vez que un amigo íntegro de la persona de usted y un defensor elocuente de la política de su gobierno.

¿Cómo podría resumirse, en lo que respecta a la prisión de mis compañeros y a la mía propia, mi verdad expuesta a Gabriel Figueroa, precisamente en la Sala de Oficiales de la Cárcel Preventiva de la Ciudad, ayer, día 17 de octubre en curso? Me parece, para el objeto, que el mejor método será el de exponer ante usted la secuencia de mis inconformidades frente a procedimientos que considero como absolutamente contrarios a los postulados democráticos de la

Revolución Mexicana, en la que yo tuve el honor de participar como soldado y como oficial durante cinco años.

Mi primera inconformidad política con su Gobierno, de manera ya objetiva y no simplemente teórica, frente a hechos concretos y no por deducciones, señor Presidente de la República, surgió cuando usted no presentó ante el Poder Legislativo, en el primer período ordinario de sesiones, como lo esperábamos todos los mexicanos de pensamiento democrático, una iniciativa de ley que derogara el inconstitucional artículo 145 del Código Penal, que es el que determina el llamado delito de disolución social. ¿Qué objeto tenía conservar ese artículo creado para combatir el fascismo durante la segunda gran guerra, por el presidente Manuel Ávila Camacho, y posteriormente reafirmado, con propósitos claramente contrarrevolucionarios, por el presidente Miguel Alemán? La libertad que usted concedió al profesor Othón Salazar y a otros dirigentes del movimiento magisterial, ¿no debió animar en nosotros la idea de que cesarían para siempre los procedimientos coercitivos contra la clase trabajadora sindicalizada y sus partidos políticos, que son evidentemente violatorios de la Carta Fundamental?

Mi segunda inconformidad política con su Gobierno, una inconformidad naturalmente congruente con la primera, se manifestó al producirse la represión contra el movimiento ferrocarrilero, la aprehensión de millares de trabajadores, y posteriormente, la consignación de muchos de ellos por la Procuraduría General de Justicia de la República, con la aplicación del llamado delito de disolución social, que incluye el referido artículo 145 del Código Penal. ¿No se trataba, entonces, de una infundada suspicacia política, sino que aquello quería decir que su Gobierno se encaminaba, sin duda alguna, por la vía de una evidente represión judicial contra la clase obrera organizada sindical y políticamente? La Barra de Abogados, organismo insospechable de revolucionarismo, como usted lo sabe, señor Presidente, contribuyó en forma poderosa a denunciar ante la Nación las múltiples violaciones a las garantías constitucionales que la indicada represión había necesariamente implicado.

Mi tercera inconformidad con su gestión gubernamental tuvo lugar cuando la indicada Procuraduría General de Justicia de la República procedió a consignar, precisamente por el delito de disolución social, a cientos de trabajadores ferrocarrileros que fueron víctimas de la señalada forma judicial de arbitraria represión. Como es bien sabido, el delito de disolución social sirvió sólo de plataforma a una serie de supuestos delitos del orden común. ¿Podría ser sintomático, para mí, como para el país entero, en el orden de la política, que el Gobierno federal aplicara, franca y directamente, una ley anticonstitucional que los Gobiernos inmediatamente anteriores, como es el caso del presidente Miguel Alemán, no había llegado a utilizar con ningún fin y, menos aún, con el de la represión antiobrera, aunque sin derogarlo del Código Penal?

Mi cuarta inconformidad con la política de su Gobierno se materializó cuando el Poder Legislativo, seguramente por el temor de contraponerse al criterio del Poder Ejecutivo a cargo de usted, desoyó, sistemáticamente, lo que puede considerarse como un verdadero clamor nacional contra la aparente inconmovible vigencia del artículo que establece el llamado delito de disolución social y la aplicación sistemática y repetida del mismo contra todo ciudadano que discrepara de la política fundamental del Gobierno en materia obrera. ¿Esta política de su Gobierno, que considero esencial, señor Presidente, no me ha dado el derecho, como se lo ha dado a todo ciudadano mexicano, de señalar su anomalía dentro de un régimen que se supone basado en los principios de la democracia más elemental? ¿Cómo puede justificarse en un régimen de derecho contemporáneo la persistencia en una ley propia de los períodos más negros de la Edad Media y del colonialismo?

En consecuencia, mi discrepancia con su Gobierno, en tal orden, no surgió por obra de un simple capricho, sino que siguió un proceso escalonado, en extremo paralelo, a hechos concretos de valor objetivo. Al respecto deseo recordarle un caso acaecido casi en los primeros meses de su Gobierno. Me refiero al conflicto que provocó mi protesta contra la diputada Macrina Rabadán, pariente política mía, en un banquete dado en su honor, al desacatar el compromiso contraído por ella de iniciar, en dicho acto público, una campaña contra el delito de disolución social y la cual debería culminar, días después, en la propia Cámara de Diputados. Para mí, como para muchos mexicanos, la supresión o conservación del mencionado delito de disolución social, por voluntad del propio Gobierno, aparecería como el más elemental síntoma de lo que sería posteriormente su Gobierno, en cuanto a las libertades ciudadanas, y de manera particular en lo que respecta a tales derechos en el seno de la clase trabajadora organizada.

Nada de extraño tiene, entonces, señor Presidente de la República, que en el antes expuesto estado de ánimo, bajo las antes señaladas consideraciones políticas, que no eran sólo mías, sino de un fuerte sector de la opinión pública, yo fuera uno de los más activos fundadores, impulsores y activistas del Comité Nacional por la Libertad de los Presos Políticos y la Defensa de las Garantías Constitucionales, y el cual tenía por objeto exclusivo lo que su propio nombre indica. Y de tal manera me entregué a las tareas de la indicada organización, que puede llegarse a afirmar que la misma constituyó mi actividad casi exclusiva, en las horas que me dejaba libre mi trabajo profesional, de doce horas diarias, como pintor muralista en la Sala de la Revolución del Museo de Chapultepec.

Había nacido un organismo destinado a obtener, en el menor tiempo posible, como de la manera más completa, la libertad de los centenares de presos políticos y sindicales que existían en todas las cárceles de la República. Luchar por su libertad, por la susodicha libertad de todos, era luchar, en primer lugar y de manera constante, por la supresión del delito de disolución social, cuya persistencia ha dañado las bases democráticas de su Gobierno, y puede considerarse como la causa fundamental del divorcio parcial que se ha producido lamentablemente entre su Gobierno y las auténticas figuras de izquierda —no por desorganizadas, no por débiles, menos auténticas— que actúan y se desarrollan con insuperables perspectivas históricas dentro de nuestro país, como dentro de todos los países de América Latina y del mundo.

Pero aconteció, normalmente para mí, lo que tenía que acontecer bajo un Gobierno federal cuyas autoridades judiciales y políticas se extralimitaron, en la práctica, efectuando sin límite alguno el secuestro de quienes discrepaban de su política dentro de las filas de la clase trabajadora revolucionaria: allanamiento de hogares, aprehensiones arbitrarias, asesinato, en algunos casos, de ciudadanos indefensos y, por último, la injusta táctica de hacer víctimas a los trabajadores de los procesos más torpemente imaginados que conoce la historia política de nuestro país. No vacilo en afirmarle, señor Presidente, que si usted conociera los expedientes referidos, ya sea en forma directa o por conducta de una persona capaz y de su confianza, no podría menos que aceptar nuestra afirmación de que han sido elaborados, no sólo conforme a un espíritu represivo de las libertades públicas, sino estructurados de la manera formal más burda.

Verdaderos almodrotes en el campo de la jurisprudencia, pero que han motivado que sólo en la Cárcel Preventiva de esta Ciudad se encuentren aún 35 presos sindicales y políticos desde hace 20 meses, algunos de ellos, mediante los más diversos métodos de dilación, arreglos, etc. Una verdadera mancha para nuestra patria, señor Presidente, cuya reparación no debía tardar mucho en realizarse. El disgusto que este acontecimiento está produciendo ya, créalo usted, puede llegar a impulsar el espíritu solidario del pueblo. No hay que engañarse con la aparente incomprensión que tienen las masas del país. La historia trabaja por las víctimas. De los ferrocarrileros encarcelados, son ya tres los que pierden a sus esposas y compañeras estando en la prisión. Las familias de algunos se han deshecho, y en general, muchos de sus hogares se han trastornado gravemente con la separación obligada y la miseria. Sin embargo, como usted mismo podrá comprobarlo si lo viera, su moral se mantiene vigorosa. Yo recuerdo cómo los huelguistas de la perdida acción revolucionaria de 1926-27-28, crearon más tarde las bases de los movimientos sindicales y políticos más conscientes y enérgicas que ha conocido el país.

La acción justa, destinada precisamente a restituir los derechos constitucionales conculcados, tenía que ser detenida, por sobre todo, por funcionarios de las procuradurías y las policías, que creen que la mejor manera de servir al Gobierno de usted es golpeando, por todos los medios posibles, a aquellos trabajadores y revolucionarios que hacen caso del inalienable derecho de crítica justa, o injusta, para el caso es lo mismo, que les concede la ley.

Señor Presidente:
Es propio de funcionarios inferiores, particularmente cuando se trata de funcionarios policiales, mentir o exagerar los informes para capitalizar burocráticamente sus servicios. De las declaraciones emitidas en diversas oportunidades por el Procurador General de la República, y apenas el 16 de octubre por el Lic. Alfonso Corona del Rosal, presidente del Partido Revolucionario Institucional, se desprende que a usted le han dado informes positiva y extrañamente calumniosos sobre mi actitud frente a la política de su Gobierno. Mis opiniones y actitudes corresponden y corresponderán siempre a mi propia y conocida tradición revolucionaria. Es en extremo necio el afirmar ante la opinión pública que a mí me han encarcelado porque "he pretendido derribar el orden constitucional" y que para demostrarlo, se tienen a la mano las pruebas de mi discurso público en Torreón, y mi intervención pública en el Primer Congreso Nacional por la Libertad de los Presos Políticos y la Defensa de las Garantías Constitucionales. Si esto es así, ¿por qué la Procuraduría de Justicia del Distrito Federal no me consignó ante un Tribunal Federal por actividades subversivas contra el Estado, en vez de hacerlo, como lo llevó a cabo, ante un juez local y sólo por el delito llamado de disolución social, como inductor a control remoto (simple transmisión del pensamiento político, se supone) de los incidentes

que provocó la policía, tratando de impedir la manifestación de profesores y estudiantes?

"Démosle la vuelta a la hoja del pasado —me decía Gabriel Figueroa en la entrevista—, y veamos todos, conjuntamente, la manera de coordinar la acción política del Gobierno y la acción política de las fuerzas de la clase trabajadora, que es la única oposición de utilidad constructiva, con su crítica justa, para que el país tome el curso histórico que le corresponde." "En efecto —le contesté—, pero para ello es indispensable que el artículo 145 del Código Penal desaparezca para siempre de la vida institucional de México; es indispensable que inmediatamente se abran las puertas de las cárceles a quienes se aplicó el llamado delito de disolución social, tanto para los ya sentenciados, como para aquellos que aún no lo están. Es indispensable, en suma, que la política macartista, ese remedo yanqui en nuestro siglo de las peores épocas de la inquisición fanática, deje de aplicarse en nuestro país, y deje de aplicarse sistemáticamente contra quienes se manifiestan contrarios, en lo fundamental, al papel que juega el imperialismo yanqui en la política internacional del presente."

Uno de los aspectos más graves de lo que nosotros llamamos la frustración de la Revolución Mexicana ha sido precisamente la hasta ahora absoluta incapacidad de los diversos gobiernos para abrir el debate sobre los grandes problemas de nuestra Patria común, contando, no obstante, con el control absoluto de todos los medios de publicidad. Este hecho constituye una anomalía de suma gravedad que usted, por su alta investidura, tiene la posibilidad inmediata de subsanar, conquistando así la confianza vital del pueblo de nuestro país.

Por otra parte, señor Presidente, ¿qué justificación puede tener el hecho de que la represión política judicial que propicia el indicado artículo 145 del Código Penal se aplique en el campo de la creación artística y precisamente contra un pintor pionero y partícipe del gran movimiento pictórico que le ha dado a nuestro país su primera fisonomía de trascendencia universal en la cultura? ¿Hay alguna justicia en el hecho de que después de haberme clausurado y enjuiciado mi mural, por acuerdo del Comité Ejecutivo de la Asociación Nacional de Actores, en el vestíbulo del Teatro Jorge Negrete, se interrumpa ahora precisamente mi mural sobre la Revolución Mexicana, en la Sala de la Revolución, que debería inaugurarse el próximo 20 de noviembre? Cuando me aprehendieron a mí, venía yo justamente de trabajar durante largas horas, y así, durante meses, en una obra mural de grandes proporciones que me ha venido permitiendo afirmar una serie de soluciones técnicas, sobre los materiales y la composición, en el campo de los problemas del espacio y la perspectiva. Humilde esfuerzo en la vía del realismo nuevo que caracteriza a nuestro movimiento nacional de artes plásticas, en el conjunto de la producción mundial.

Más que nada deseo terminar mi mural sobre la Revolución en el Castillo de Chapultepec, como posteriormente la obra secuestrada en la Asociación Nacional de Actores y, en esa empresa, la terminación de todas mis obras monumentales pendientes, una más en México, y las otras en el extranjero, pero esto no podría hacerlo en estado de justa moral política y humana, sabiendo que mis compañeros de similar reclusión se encuentran aún encadenados por el inconstitucional artículo 145 del Código Penal.

Esperando que la inmejorable intervención de Gabriel Figueroa, digno artista y verdadero amigo político de usted, tenga éxito, y lo tenga frente a la insuperable oportunidad de la ya muy próxima conmemoración de la Revolución Mexicana, el 20 de noviembre, quedo suyo,

Respetuosamente,

David Alfaro Siqueiros

CAPÍTULO XX. CLASA FILMS MUNDIALES

La fusión de la compañías Films Mundiales y CLASA operó varios años, pero finalmente fueron puestas en liquidación por Nacional Financiera. El licenciado Ángel de la Fuente, gran conocedor del medio y amigo mío, tuvo el proyecto de una asociación con Nafinsa sin que ésta pusiera dinero, pues con los ingresos de CLASA Films Mundiales y nuestra aportación de trabajo era posible producir algunas películas. Nafinsa aceptó el trato y comenzamos a preparar el programa con la colaboración de Felipe Subervielle, productor ejecutivo, y José F. Iturriaga, presidente del consejo de Nafinsa. Sin embargo, tiempo después, el licenciado José Hernández Delgado, director de la empresa estatal, nos informó que por algún grave problema entre la banca privada y el gobierno se había tomado la decisión de liquidar inmediatamente CLASA Films Mundiales y terminar con nuestro particular arreglo. Pero, a cambio, nos propuso que compráramos la compañía, nos daba facilidades y crédito y nos pidió que fijáramos el tiempo para el pago.

El licenciado Hernández Delgado realmente nos dio todas las facilidades para la adquisición de la empresa.

Nos asociamos además con Manolo Barbachano, Roberto Gavaldón, mi hermano Roberto y ACV. El director de la empresa fue el licenciado Ángel de la Fuente y Felipe Subervielle el productor ejecutivo y el resto quedamos como consejeros de producción.

Hicimos *Macario* (1959) y *La rosa blanca* (1961), de B. Traven; *El gallo de oro* (1964) y *Pedro Páramo* (1966), de Juan Rulfo; *Corazón salvaje* (1968), de Caridad Bravo Adams; *María* (1971), de Jorge Isaacs, en Colombia, y *Coronación* (1975), de José Donoso. En la mayoría, la producción fue decorosa, pero tuvimos que suspender actividades cuando el Banco Cinematográfico cambió de rumbo sus créditos. Manolo Barbachano quiso seguir y nos compró nuestras acciones. Creo que le ha ido bien, qué bueno. En este negocio tan difícil, Manolo Barbachano siempre ha sido un productor inquieto y con muy buenas ideas a lo largo de su carrera, ha saboreado muchos merecidos galardones internacionales.

Uno de los planes que no pudimos realizar fue la obra de Carlos Fuentes, *Zona sagrada*, en 1968. Teníamos ya el crédito del Banco Cinematográfico y los principales escenarios construidos, a María Félix como estrella y a Luis Alcoriza en la dirección. Carlos Fuentes venía de París, al llegar la prensa lo abordó, pues una entrevista que dio en París había causado polémica; aclaró: "No hablé mal de México. Dije que no estaba de acuerdo con la política del presidente Díaz Ordaz, pero él dura seis años y se va". Unos días después, me mandó a llamar el licenciado Emilio Rabasa para informarme que, por orden superior, el Banco Cinematográfico le retiraba el crédito a CLASA. María Félix se fue a París y yo a una película de la Metro Goldwyn Mayer a Yugoslavia.

México, desde luego, no estuvo excluido del ventarrón que sacudió a buena parte del mundo en 1968: el asesinato de Martin Luther King; el movimiento estudiantil, en París —André Malraux fue llamado al Congreso para conocer su opinión: "¡Nuestra civilización ha terminado!", dijo y se bajó de la tribuna—; en Checoslovaquia, la invasión soviética: fatal. Y en México, Tlatelolco ha sido la mayor infamia cometida por el gobierno. Lamentablemente, la fuerza de los estudiantes en ese momento no fue aprovechada para la formación y el principio de un partido político que con el tiempo pudo haber nivelado la política en México.

Al término del gobierno de Díaz Ordaz, el licenciado Emilio Rabasa entregó la dirección del Banco Cinematográfico a Rodolfo Echeverría. Éste, de entrada, consiguió un fuerte subsidio presidencial para la producción de películas, por lo que pudo darle oportunidad a los directores jóvenes para realizar sus ideas y tener un monto de producción que cubría las necesidades de trabajo de artistas jóvenes y técnicos en los estudios de cine. El sexenio produjo más de cuatrocientas cincuenta películas, de las que un diez por ciento considero magníficas.

Como siempre, hay algo qué lamentar. Cerca del final del sexenio, el Banco tomó la responsabilidad casi total de la producción, y la iniciativa privada quedó prácticamente al margen del crédito bancario, pues los créditos estaban condicionados a asociarse con el Estado. Y el Estado nunca ha tenido la fama de manejar bien los intereses comunes. Desde luego, los productores resolvieron este problema y el más gordo del siguiente sexenio: la liquidación del Banco Cinematográfico. Ahora operan con éxito obteniendo créditos en los bancos de Estados Unidos, dado que por el cambio de moneda en la actualidad las películas mexicanas son mejor negocio en Estados Unidos que en la República Mexicana —naturalmente, los dólares se quedan allá.

CAPÍTULO XXI. PELÍCULAS AMERICANAS

En los años sesenta, aparte de trabajar para CLASA Films Mundiales, tuve tres propuestas de películas americanas: *La noche de la iguana*, *Dos mulas para la hermana Sara* y *Kelly's Heroes*, filmada en Yugoslavia.

El cine en México tenía entonces poca producción y no llenaba las necesidades de artistas y trabajadores, debido en gran parte a la falta de interés por parte del licenciado Díaz Ordaz, primero como secretario de Gobernación y luego en la presidencia, y a pesar del empeño del licenciado Emilio Rabasa, director del Banco Cinematográfico, quien realizó una magnífica labor, pues reorganizó la exhibición, la distribución y los Estudios Churubusco, limpió los créditos y también respaldó la producción de buenas películas, pero no tuvo el apoyo económico necesario por parte del gobierno.

Antes de esta época trabajé en varias buenas películas de Roberto Gavaldón: *El rebozo de Soledad* (1952), *El niño y la niebla* (1953) y *La escondida* (1955); y de Ismael Rodríguez: *La Cucaracha* (1958), *Ánimas Trujano* (*Un hombre importante*), con el gran actor Toshiro Mifune (1962), y *El hombre de papel* (1963).

De las películas americanas que mencioné antes, *The Night of the Iguana* (1963) fue la primera que fotografié. Dirigida por John Huston, sobre un guión de Tennessee Williams, contaba con la actuación de Richard Burton, Ava Gardner, Deborah Kerr y Sue Lyon. Gracias a la publicidad que le dieron, invitando a periodistas de todo el mundo a Mismaloya y Puerto Vallarta, pusieron a Puerto Vallarta en el mapa turístico del mundo. *La iguana* me dio un buen crédito profesional al ser nominada para el Oscar de Hollywood por su fotografía.

John Huston, según la prensa, se ha caracterizado por realizar películas difíciles, en locaciones lejanas e incómodas, etc. En *La iguana*, las complicaciones estaban fuera de cámara, se daban, digamos, en las interrelaciones de los actores. Liz Taylor acompañaba a su marido, Richard Burton, y observaba las escenas de amor entre el actor y Sue Lyon o Ava Gardner; estaban también el representante del actor, Michael Wilding, ex marido de Liz Taylor, así como Deborah Kerr y su esposo, el escritor Peter Viertel, quien a su vez fue muy amigo de Ava Gardner cuando hacían *The Sun also Rises*; Emilio Fernández, de quien se corrió el rumor que pretendía casarse con Ava Gardner (claro, sin que ella lo supiera); la presencia constante de Tennessee Williams y su amigo Fred, además de las dificultades creadas por el gran fotógrafo John Millie, que cubría un reportaje para el *Life Magazine*, también con Ava Gardner y Burton, y las visitas de los hijos de cada lado, tanto los de Liz como los de Burton, que se turnaban sus llegadas.

Lo importante es que la filmación no resintió nada de lo anterior y se realizó en un ambiente amigable, guiada magistralmente por John Huston.

Un día el señor Huston me pidió que buscara una playa donde pudiera acomodar los efectos de luz para la secuencia nocturna de los *beach boys* y Ava. Esta secuencia debía ser filmada al oscurecer, en una sola escena, para terminar a las 8 de la noche y no estropear el llamado del siguiente día. Después de comer, comenzamos a preparar la secuencia con cinco cámaras, pues así la secuencia quedaba protegida en una sola toma.

John envió a su asistente para ver si Ava ya estaba maquillada y lista, ya que al oscurecer había que rodar. El asistente, Tom Shaw, regresó con malas nuevas, Ava estaba en el bar y advirtió que no se sentía con ganas de trabajar. John se levantó y fue a buscarla. Ella lo invitó a tomar algo, él aceptó. Después de tiempo, quizá una hora, le preguntó si ya estaba maquillada. Ava dijo que no y que además ya le había mandado a decir que no trabajaría. Entonces John le dijo que lo único que le daba pena era por mí, Ava dijo: "¿Qué tiene que ver Gaby en esto?"

John le hizo una descripción del *moonlight efect* logrado por mí en una playa que había yo escogido y que era un trabajo muy hermoso. "Bueno —dijo Ava—, si se trata de Gaby, sí trabajo, vamos..." Desde luego, en el tiempo de espera hubo muchos, pero muchos rounds. Llegaron al lugar cuando ya había oscuridad. John me llamó y me dijo que la escena estaba a mi cargo; entonces llegó una gran ola y nos mojó completamente. John salió corriendo a secarse, mientras Ava se ponía su ropa de trabajo. Cuando salió, me dijo: "¿Qué voy a hacer?" Le expliqué que entraba por la derecha, que los *beach boys* bailaban con ella y que saldría a la izquierda de la cámara. Eso era todo...

—¿Qué voy a bailar?

—Un danzón.

—Ah, yo sé que tú bailas muy bien. Enséñame.

Pedí un *playback*, el danzón no se hizo esperar y comencé a bailar con Ava.

—Bueno, vamos a rodar —le dije.

La escena salió exactamente como John la había indicado, pero yo no había tomado en cuenta que durante todo el rodaje una cámara de televisión tomaba las escenas para la publicidad.

Antonieta, mi mujer, siempre les decía a los hijos que mi trabajo era muy difícil y muy duro por los horarios y demás. Unos meses después de haber terminado la película, y como preparación de su estreno, pasaron el *trailer* en la televisión mexicana. Como lo anunciaron, toda la familia estaba frente a la televisión y cuando allí aparece el señor Figueroa bailando con Ava, mis hijos preguntaron: "¿Éste es el trabajo duro de mi papá?"

En 1965, en la nominación del Oscar, *La noche de la iguana* tuvo dos nominaciones, la de vestuario y la de fotografía. Nos presentamos en Hollywood mi esposa y yo después de catorce años de no ir a Estados Unidos, pues nuestros amigos de allá insistieron en que fuéramos. Cuando llegamos, nuestros amigos nos esperaban: los Granet, los Solow, Íñigo de Martino, Jack Cummings, Richard Dunlop, entre otros.

Sid Solow, que era director de los laboratorios de Consolidada, me brindó un coctel en su residencia con algunos fotógrafos, encabezados por el gran James Wong Howe, los de la Kodak, el Dr. Ryan, Norwood Simmons, entre otros. Linda Cristal pasó por nosotros con Hall Bartlett; la fiesta, muy bonita, muy grata.

Unas noches después, mi gran amigo Bert Granet y su esposa Charlotte nos ofrecieron una cena en su casa muy hermosa que acababan de estrenar en Beverly Hills, en la que, como siempre, estuvimos muy bien acompañados de sus valiosas amistades: el director Ralph Nelson, Daniel Taradash, gran escritor; Robert J. Schiffer, de Walt Disney, Sidney Sheldon, el prolífico escritor de novelas policiacas para la televisión; el también escritor Hugo Butler, y mis amigos Íñigo de Martino, Richard Dunlop, Sid Solow y otros más.

Nos alojamos como siempre en el Beverly Wilshire, hotel de mi amigo Hernando Courtwright, quien nos mandó una limosina para ir a la fiesta de los Oscar. Es una muy hermosa fiesta, con los mejores shows y proyecciones de las películas y competidores y toda la elegancia de las estrellas de cine... Bueno, esto ya lo habrán ustedes visto en la televisión, pues sigue siendo el gran espectáculo televisivo para todo el mundo. Ganamos el premio de vestuario pero no el de la fotografía. Lo esperaba...

Luego hicimos una película que el licenciado Rabasa se empeñó mucho en respaldar: *Pedro Páramo*, de Juan Rulfo, que interpretó como actor principal el actual embajador de Estados Unidos en México, John Gavin.

Después de estas películas me cayó una muy buena propuesta, que era *Dos mulas para la hermana Sara* (1970), con Clint Eastwood y Shirley MacLaine, dirigida por ese gran realizador Don Siegel, uno de los calificados de Hollywood. Tuve que hacerlos esperar un momento, pues cuando me hicieron la propuesta estaba saliendo para Alemania, donde me invitaron como presidente del jurado del Oberhausen Sportfilmtage, un festival que presenta documentales y cortos deportivos. Fue muy satisfactorio ir allí, ver todas aquellas películas, el ambiente, y recorrer Colonia, donde siempre es un placer estar, sobre todo en el hotel Excelsior, viendo la iglesia de enfrente, que es sensacional, y en Düsseldorf. En fin, todos los alrededores. Cuando regresamos de Alemania, ya me estaban esperando, que si fotografiaba la película de las *Dos mulas* o no, y dije que sí, que la fotografiaba. Inmediatamente nos fuimos a Hollywood a hacer pruebas de Shirley MacLaine para ver cómo estaba el atuendo de monja y cómo se veía ella; las hicimos y vinimos a hacer la película.

Por platicar una aventura muy bonita, de esas cosas curiosas: a Shirley MacLaine la conocí en el Festival de Cannes, al que fuimos el licenciado Emilio Rabasa, Ignacio López Tarso, Pilar Pellicer y Carlos Velo, que había dirigido *Pedro Páramo*. Shirley MacLaine era miembro del jurado del Festival, y el licenciado Rabasa llevaba una recomendación para ella (pues siempre hay que estar bien con los jurados). Se le acercó en el *opening* del festival y le dijo.

—Ah no, ya sé. Me habló mi amigo fulano que un señor mexicano del cine de allá venía a verme y yo estoy a sus órdenes.

—Pues que bueno que nos conozcamos. La invitamos a cenar.

—¿Qué día?

—Pues tal día.

Entonces Jacqueline González Quintanilla, que estaba trabajando en la Embajada de México allá, hizo todos los arreglos para una cena con Shirley MacLaine.

El licenciado Rabasa y su señora pasaron por Shirley MacLaine y yo fui directamente al restaurante. Era un restaurante no muy vistoso, al contrario, en un lugar un poco apartado, para no dar lugar a habladas.

Otro de los miembros del jurado, también presente en la cena, era Vincent Minelli, el papá de Liza Minelli, y me tocó primero platicar con él, un señor muy introvertido. Yo ya no hallaba ni qué conversación tocar y el señor muy serio, no sabía yo por dónde agarrarlo para obtener un poco de simpatía. Cuando llegó, me presentaron a Shirley MacLaine.

—Ah, ¿usted es Gabriel Figueroa? He oído hablar mucho de usted. Oiga, dígame, ¿como está *Cantinflas*?

Ella lo había conocido en aquella película que hicieron en Estados Unidos de *La vuelta al mundo en 80 días*.

—Muy bien —le dije—, él está siempre muy bien.

Nos sentamos y me tocó de compañera en el bar. Y así, de estar tomando la copa, empezó a hablar de México y salió a la conversación Trotsky —no sé cómo, creo que por Diego Rivera: se empezó a hablar de Diego Rivera y entró la conversación de Trotsky. Entonces me dice:

—Cuénteme, platíqueme.

Entonces le empecé a hablar de todo el rollo de Trotsky, de México, de la amistad con Diego Rivera, etc., lo que había pasado. Cuando dijeron: "La cena está servida", pasamos a la mesa. Era una de esas mesas largas, en las que se sienta uno enfrente del otro. Ella se sentó frente a mí, al principio de la mesa, y dejó a todos —a Vincent Minelli, al licenciado Rabasa—, que se sentaran hasta allá, y ella conmigo:

—Sígame platicando de él.

Entonces le seguí platicando de Trotsky. Eché mano del profeta armado, del profeta desarmado, y de anécdotas de allí. Y se llegó la hora, las diez o 10:30 de la noche, en que proyectaban la película que los jurados tenían que ver.

—Ay, tenemos diez minutos para llegar al cine —dijo Shirley MacLaine. Así que se paró rápidamente (ya habíamos acabado de comer) y le dijo al licenciado Rabasa:

—Usted va a pagar la cena, ¿verdad?

—Sí, claro.

—Bueno, pues yo me voy. Vincent: vámonos, porque tenemos que llegar.

—Sí, vámonos.

Entonces me ordenó:

—Usted también véngase.

Me cogió de la muñeca, me jaló, me llevó allá, me sentó con los jurados, me pusieron unos audífonos. Estuvimos toda la función allí, pero se conoce que ella estaba muy interesada en la conversación, porque al terminar, bajamos y estaban los señores Rabasa, esperándome a mí y a toda la delegación mexicana que había ido a la función. Me vieron bajar la escalera con Shirley MacLaine, y al llegar abajo le dije a Shirley:

—Fue un placer conocerla. Muchísimas gracias por haber aceptado cenar con nosotros. Le deseamos lo mejor.

—¿Cómo? —me dice—, ¿usted tiene un compromiso ahorita?

—No, no tengo compromiso ahorita.

—Nos vamos, porque tengo un periodista italiano muy amigo mío que a usted le va a caer muy bien y nos vamos a platicar con él.

Y le dice al licenciado Rabasa:

—Con su permiso, me lo llevo.

Y los señores Rabasa se quedaron viendo atónitos cómo prácticamente me raptaba Shirley MacLaine. Para cuando llegamos con el periodista italiano —un hombre muy amable, muy sencillo—, entre ella y yo ya habíamos formado un partido político: el "Democrático Nihilista". El mejor partido creado en el mundo, creo yo, porque sólo éramos dos miembros: ella y yo; así es que no había ninguna dificultad, siempre podíamos llegar fácilmente a un acuerdo. El italiano se propuso para entrar a nuestro partido. Ofreció un yate que tenía, pero ni así lo admitimos, porque el partido era de los dos. Seguimos con esa guasa y un poco más noche me despedí. Ella se quedó con el periodista italiano, y regresé al hotel.

A los pocos días, fui a la cena que daba Francia, una cena en la que cantó Charles Aznavour y se presentaron otros grandes artistas: un paquete muy grande. Shirley MacLaine estaba en medio, en una mesa especial para todos los señores del jurado, entre ellos Serguei Bondarchuk, el actor soviético, y otra personas que no recuerdo de momento. Ahí estaba el jurado muy solemne en su mesa. El salón aquel era precioso, estaba arreglado de maravilla, todo lleno. Había unos menús grandes, muy bien impresos, muy bonitos, y entonces se me ocurrió la puntada de coger uno de esos menús y escribirle una nota diciendo: "Le mando un beso a mi compañera del Partido Democrático Nihilista. El otro compañero". No le puse más, le hice un hoyo y le metí una rosa. Llamé a un mesero y le dije:

—Por favor, lléveselo a la señora MacLaine.

Naturalmente, a la hora en que éste llegó con el enorme menú y la rosa en medio, y se la dio a Shirley MacLaine, pues todo el mundo volteó a ver de qué se trataba. Entonces ella soltó la carcajada y preguntó:

—Bueno, ¿dónde está Gabriel Figueroa?

—Allá en aquella mesa —le indicó el mesero.

—Dígale que se venga para acá y tráigale una silla.

Entonces pidió una silla y me sentó allí con ella y con los miembros del jurado para seguir platicando, hicimos amistad sin saber ni sospechar que prácticamente dos años después de eso trabajaríamos juntos en *Dos mulas para la hermana Sara*, aquí en México.

Del regreso del festival, viajamos Nacho López Tarso y yo en el avión de Air France, adelante estaba sentado el doctor Morones Prieto, que venía de Moscú, y nos saludó muy amable y charlamos. De repente, un alta voz pidió con urgencia la ayuda de un médico. Se levantó un doctor para atender a una pasajera a la que le dio un infarto. Al llegar a Nueva York, ya esperaba una ambulancia. Nosotros nos bajamos en tránsito para abordar el mismo avión. Como siempre, a mí me detuvieron en la ventanilla para examinar los números de mi visado, que en esta ocasión era para dos entradas, ida y vuelta de París. Como el empleado se tardaba, Nacho y el doctor se acercaron para preguntarme si podían hacer algo, como llamar a la embajada. Les agradecí: "Siempre me pasa lo mismo, además, ¿qué pueden hacer si vengo en tránsito?" El empleado regresó un tanto agresivo y me mostró la visa, que tenía una rayita de la pluma con que escribieron en México. Me dijo: "¿Usted hizo esto?", sin ver lo que me mostraba contesté: "¿Usted cree que soy tan tonto como para agregar algo al visado?" Furioso, me regresó el pasaporte y me dijo: "Puede pasar, pero lleve esto en la mano y en alto para que se vea claro", y me dio una cartulina roja como de treinta centímetros cuadrados, con la cual, obedeciendo instrucciones, me abaniqué todo el camino al avión.

La filmación de *Two Mules for Sister Sara* se llevó a cabo en locaciones de Morelos. La principal dificultad para Shirley MacLaine era el sol, pues no podía abrir los ojos. Me preguntó qué podía yo hacer. Resolví el problema poniendo mantas pesadas para cubrir el sol y el reflejo del cielo. Tanto ella como los demás artistas estaban contentos con los *rushes*. Un día sonó el teléfono en Cuernavaca, *long distance* de la Metro Goldwyn Mayer, y me preguntaron:

—¿Quiere usted fotografiar una película en Yugoslavia?

—Bueno, sí, pero mándeme el *script*.

—Se lo mandamos inmediatamente, cómo no. Pero si acepta díganos enseguida para mandarle el contrato y que usted lo firme. La película empezará dos meses después de que usted termine la que está haciendo ahorita.

Sin decirme nada, Clint Eastwood me había recomendado.

Dos meses después de la terminación de *Two Mules* salimos para Belgrado, donde empezaría el rodaje con mi equipo de siempre: Daniel López y Pablito Ríos.

Kelly's Heroes (*El botín de los valientes* en México) tuvo como director a Brian G. Hutton y en ella actuaron Clint Eastwood, Donald Sutherland, Telly Savalas y Don Rickles. Fue una ambiciosa producción de ocho meses de filmación, en la que intervinieron doscientos vehículos (entre transportes particulares, tanques, aviones, puentes portátiles, ametralladoras, cañones, etcétera).

El *script* señalaba una importante secuencia nocturna, en la que un grupo de militares espera dentro de un aserradero la aparición del convoy con los refuerzos. El guardia grita, se muestra el convoy y todos salen rápidamente, ¿y qué ven? Esta secuencia fue mi primera preocupación pues afuera es de noche y está lloviendo, por lo que no puede haber luz de luna, y además el convoy avanza a oscuras. Tenía que pensar cómo resolverla fotográficamente. Durante la preparación, tuve la idea de iluminar el convoy por medio de relámpagos aislados, el problema era cómo, pues lo que se usa normalmente para este efecto son una grandes tijeras con carbones que al juntarse dan un flamazo, pero éste no llega a más de ocho metros. Fui a Londres a buscar algo parecido. Allí me mostraron lo último: un aparato de dobles carbones, pero no servían pues tenía que enviar luz a cincuenta metros de distancia. Regresé y hablé con Karl Baumgartner, el *special effects man*, a quien le expliqué el problema. Le indiqué que de chico usábamos magnesio para fotografiar de noche con muy buena explosión, y que quería que me hiciera un aparato para disparos de magnesio. Lo hizo: una torre de tres metros, un tanque de gas y una compresora muy grande para mandar el polvo de magnesio por el embudo a la torre, donde la flama de gas encendería. Resultó formidable. Mandaba el relámpago a cincuenta metros. Pedí otros tres aparatos de estos y ordené los disparos en serie. La solución fue magnífica.

La producción fue muy pesada, pero por suerte contábamos con muy buenos elementos: como John Barry en el diseño de producción, Karl Baumgartner en los efectos especiales, y mis inseparables, magníficos ayudantes Daniel López y Pablito Ríos.

La voladura de los puentes es real, pues el gobierno yugoslavo tenía que quitar algunos para que pasaran embarcaciones más altas y se las vendió a la Metro Goldwyn Mayer para hacer las voladuras reales, naturalmente que esto se filmó a larga distancia con telefotos.

Años después tuvimos una cena, en casa, pedida por John Gavin, el actor, quien quería presentarle a Carlos Fuentes a una persona de Estados Unidos. La cena se efectuó y, aunque no lo explicaron, el motivo era el siguiente: Carlos Fuentes había aceptado polemizar sobre historia de Estados Unidos, en Nueva York, para la televisión, con el señor Richard Goodwin, que tenía el cargo de Deputy Assistant Secretary of State for Inter-American Affairs. El señor que acompañaba a John Gavin, cuyo nombre no recuerdo, exploró por medio de muchas preguntas los conocimientos de Carlos sobre la materia. Resultado: la polémica fue suspendida, victoria para Carlos por default.

CAPÍTULO XXII. CINE EXPERIMENTAL

Cine Experimental fue un concurso muy importante y exitoso, pues en él participaron jóvenes de reconocido talento, sobre todo en el teatro, como Juan José Gurrola, Alberto Isaac, Rubén Gámez, Héctor Mendoza, Juan Guerrero, Salomón Laiter e Ícaro Cisneros Rivera. Todos ellos mostraron sus conocimientos y capacidad, y algunos de ellos pudieron colocarse en el cine profesional; los que no, regresaron a su antigua actividad como directores de teatro.

Manolo Barbachano me invitó, en 1965, a participar en Cine Experimental, tenía el plan de realizar tres cuentos de Carlos Fuentes. Los directores serían José Luis Ibáñez, Miguel Barbachano Ponce y Juan Ibáñez.

Con Juan Ibáñez como director, Arabella Arbenz y Enrique Rocha de intérpetes, Federico Amérigo en la producción, Carlos Fuentes y mis ayudantes, viajé a Nueva York para rodar el cuento *Un alma pura*, pues allí sucedía parte de la historia.

Nos hospedamos en el hotel Saint Regis. Había el plan, aceptado por el hotel, de usar la suite presidencial como escenario de una fiesta neoyorquina. Alguien propuso, para afirmar mejor el ambiente, invitar a participar a Salvador Dalí, que allí se hospedaba.

Así que se acercaron a Salvador Dalí durante el desayuno, presentándose como cineastas y amigos de Luis Buñuel. Creo que fue Carlos quien le hizo la invitación, explicándole que la película era experimental, no comercial, y que él aparecería sin hablar, únicamente participando del ambiente general. A Dalí le pareció interesante la idea, pero debía contar con la aprobación de su esposa Gala, a la que mandó a llamar. Se le explicó todo y Gala contestó:

—Usted, señor... Fuentes, no come pasto, debe comer filete. El señor Dalí come filete. Pero para comer filete tiene que comprarlo. Para comprarlo debe tener dinero. Para tener dinero, tiene que trabajar. Si quieren que Dalí trabaje en esta película, le pagarán diez mil dólares.

De manera muy gentil, nos dijeron que no.

En ese tiempo, Dalí tenía un modelo que se llamaba Alid, anagrama de Dalí. Era muy guapo. Se enamoró de Arabella. En el hotel, daban unos espectáculos que las maquillistas se quedaban con los ojos cuadrados. Cuando iban a maquillar a Arabella a su cuarto, se encontraban a Alid, quien ya tenía fuertes y retozones amores con ella, desnudo pero con todas las pulseras, collares, anillos y joyas de Arabella puestas. Alid se hizo amigo nuestro y quería venir a México a trabajar en el cine.

Durante el rodaje, había una mujer guapísima, de color —como dicen los americanos—, egresada de la Sorbona en París, que era reportera de *Life Magazine* y diariamente tomaba fotografías y trabajaba en un reportaje sobre la película que estábamos haciendo. Se presentaba con abrigos de leopardo. Era una muchacha preciosa. A mí no me había entrevistado aún. Había otro reportero, rubio y de ojos azules, americano, del *Varieté*, que también quería entrevistarme. Así, el último día de su reportaje, ella sugirió que se juntaran los dos bandos y desayunaran conmigo en el Saint Regis.

Cuando empezábamos a desayunar, de repente entró Dalí al comedor y se dirigió a nuestra mesa. Se quedó viendo a la hermosa muchacha, al rubio y a mí. De súbito preguntó:

—¿Quién es Gabriel Figueroa?

—Obviamente yo, señor Dalí. ¿Gusta sentarse?

—¡Cómo no! Me siento con ustedes.

—¿Gusta algo? —le pregunté.

—No, nada. Vengo a hablar con usted, Gabriel Figueroa. Admiro mucho su trabajo. Primero, quiero decirle que Anna Magnani, amiga de los dos, quería hacer una película en Italia en la que el paisaje era importante y preguntó quién podría hacerla. Le contesté: "Pues nadie más que Gabriel Figueroa. Para el paisaje, nadie más".

—Pues muchas gracias por su opinión, señor Dalí —respondí.

—Bueno —continuó Dalí—, vengo a esto. Le voy a decir a usted quién es mi modelo —no le dije que ya conocía a Alid para no interrumpir la plática, que prometía ser sabrosa—. Un día iba manejando mi coche y de repente volteo y en la banqueta, ¿a quién veo?: al David de Miguel Ángel. Lo llamé y le dije que necesitaba un modelo y que le pagaría lo que quisiera. Fue mi modelo por tres o cuatro años. Aquí hay un retrato.

Dalí sacó un retrato de un sobre. ¡Ese muchacho imitando el David de Miguel Ángel! También traía el retrato de una gorda de doscientos kilos en un columpio. Vi los dos retratos y le pregunté qué quería.

—Que usted lo conecte con el cine mexicano y lo ayude a trabajar como actor. Es muy guapo y tiene sensibilidad artística. Recomiéndeselo a Luis Buñuel.

—Bueno —le dije—, que venga a México y lo recomiendo con Buñuel. ¿Por qué no le dice al chico que se lleve este retrato de la gorda y se lo manda usted de obsequio a Luis Buñuel, a quien le gustan estas gordas? También le gustan los enanos. Él le puede mandar un retrato del enano que trabajó con nosotros en *Nazarín*.

—¡Un enano! —exclamó Dalí—. Pero claro que acepto. Velázquez tenía un enano formidable y los grandes pintores han tenido enanos. Así que por qué no voy a tener uno. Le cambio la gorda por el enano de Luis Buñuel... Bueno, le recomiendo que ayude al muchacho.

Se levantó y se despidió.

Fue muy agradable la cosa, porque es un genio, pero me revienta como le reventaba a Luis Buñuel. Todas las acciones de Dalí han sido mercantiles y mal enfocadas. Como dibujante, Dalí es uno de los grandes de todos los tiempos. Es genial. No tiene remedio, el que tenga ideas contrarias a las mías no le quita ningún mérito al artista.

Después, Alid vino a México y se casó con Arabella en Acapulco, durante la filmación.

Desde que llegamos a Nueva York a filmar, tuvimos la cercana compañía de John Gavin, quien nos invitaba al teatro, a bares y demás, especialmente a Carlos Fuentes, Juan Ibáñez, Arabella Arbenz y a mí.

CAPÍTULO XXIII. LOS AÑOS SETENTA

En esta década, Antonieta, mi esposa, fue invitada por la Organización de Estados Americanos a presentar su primera exposición pictórica en Washington. La acompañamos mi hijo Gabriel, nuestro gran amigo André Durona y yo. Los batiks que mostró fueron muy elogiados y también un éxito económico, puesto que los vendió todos. Me dio mucho gusto. En México, Antonieta expuso varias veces en la galería Arvil y, para fines del decenio, en el Museo de Arte Moderno.

En esos años, Gabriel, mi hijo mayor, terminó la carrera de Comunicación en la Universidad Iberoamericana y viajó a Londres, becado por el Instituto Politécnico Nacional, donde estudió fotografía tres años. En estos momentos realiza exposiciones en Europa, Estados Unidos y en México, naturalmente. Es un excelente fotógrafo de una gran sensibilidad poética.

María, mi hija mayor, después de su preparatoria en México, viajó a Florencia, donde radicó más de un año estudiando restauración artística. Luego fue a Londres para seguir la carrera de diseño gráfico e ilustración. Terminados sus estudios, regresó, se casó y se fue a vivir a Londres, donde siguió estudiando. Volvió a Mexico sola y se instaló aquí. Dibuja de maravilla para libros, revistas y toda clase de publicaciones artísticas. Es muy original y tiene sensibilidad a montones.

Tolita, mi otra hija, terminó su carrera como historiadora en la UNAM, también se casó, y después de un tiempo de especializarse en la cultura maya, y dar varias conferencias, decidió dejar la carrera de historia e ingresar de nuevo a la UNAM, pero esta vez para estudiar teatro, en las ramas de escenografía y vestuario. Es una valiente… de gran sensibilidad y talento.

En fin, es una preciosa familia la mía, ¿qué más quiere uno?

En 1972, con CLASA, fuimos a filmar *María*, basada en la novela de Jorge Isaacs, a Colombia, en el hermoso valle del Cauca, lugar de la residencia de María. La película fue interpretada por Taryn Power, Fernando Allende y Edna Necoechea; dirigida por Tito Davison, y la producción estuvo a cargo de Felipe Subervielle y Héctor López.

Yo fui con mis ayudantes de siempre: Dani López y Pablito Ríos. Un día se presentó el inspector de policía para informarnos que nos querían raptar y me pidió que entrenara a cuatro agentes como electricistas, porque creían que del Paraíso, donde estábamos trabajando, había salido la idea. Teníamos a los agentes con nosotros todo el tiempo y, en efecto, diez días después aprehendieron a los secuestradores. Me pidieron que regresara a los agentes, yo me negué pues habían resultado excelentes trabajadores.

De Colombia vine a recibir el premio más preciado en toda mi carrera, el Premio Nacional de Artes en 1972, de los premios nacionales de Ciencias, Literatura y Artes que otorga el gobierno de México y entrega el Presidente de la República cada año. Me sentí muy honrado, pues entre los ganadores anteriores se encuentran Diego Rivera, José Clemente Orozco, David Alfaro Siqueiros, Carlos Chávez y Luis Barragán, entre otros.

Ese año también se inauguró el cine de arte que lleva mi nombre.

En 1973, la Secretaría de Relaciones Exteriores me invitó a dar tres conferencias sobre cine a la delegación de la República Popular China que estaba de visita en México. Ese mismo año, fui también invitado a ser presidente del jurado del Segundo Festival Internacional de Cine en Tesalónica, Grecia. Allí se presentó, fuera de concurso, la película *Había una vez un pillo* (1973), dirigida por George Schaefer e interpretada por Zero Mostel y Katy Jurado, que fue realizada en México y fotografiada por mí.

Mil novecientos setenta y cuatro fue un año de viajes. Uno de ellos fue de placer: a Guatemala y Honduras para conocer la zona maya. Empezamos el recorrido en Tikal, lugar donde se oyen las voces, y la ciudad más grande del Petén: el templo principal, de sesenta y nueve metros de alto, una hermosura; el altar de Chinkultic, con glifos mayas que comparan dos profecías: "misterio y arte", la piedra habla y piensa, gran fuerza dinámica. Hermosísimo el atardecer, misterioso, aún lo cruzan sin prisa los monos, las aves y otros animales.

Después fuimos a Quiriguá, el lugar de las gigantescas estelas, algunas de más de siete metros. Este lugar tan hermoso está cuidado por la United Fruit Company (como toda Centroamérica). Luego nos trasladamos a Copán,

Honduras, las ruinas mayas ubicadas más al sur: sus estelas son famosas por su belleza y la escalera de jeroglíficos es también muy hermosa. Fue un viaje precioso, planeado por nuestro entrañable amigo Felipe Subervielle, con quien fuimos Antonieta, nuestras dos hijas, María y Tolita, y yo.

Luego hice un viaje a Buenos Aires, Argentina, invitado por el Fondo de Cultura Económica en un avión cargado de escritores, artistas y gente de cultura, entre ellos Juan Rulfo, Rodolfo Usigli, Fernando Benítez, Griselda Álvarez, Margarita Michelena, Fernando Césarman, y muchos más. El objeto era acompañar al presidente Luis Echeverría a una cena que ofrecía el gobierno argentino. El que más destacó fue Juan Rulfo, a quien honraron poniendo sus libros en los aparadores de todas las librerías. Rulfo dijo: "No soy un perfeccionista. Necesito de la soledad y de la calma para poder trabajar y ellas no se consiguen fácilmente estando sumergido en el ritmo de una ciudad moderna..."

Ese año también asistí, acompañado por mi esposa Antonieta, al Tercer Festival Internacional de Cine de Teherán, Irán. Me invitaron como miembro del jurado, así como a otros miembros cineastas distinguidos: Rouben Mamoulian, de Estados Unidos, amigo mío, director de Greta Garbo y Marlene Dietrich; Alain Robbe-Grillet, guionista de *L'Année dernière à Marienbad*; el magnífico director alemán Peter Schamoni; el italiano Gillo Pontecorvo, que dirigió *La batalla de Argel*; el director húngaro Miklós Jancsó; la actriz hindú Simi Garewal, y el realizador egipcio Chadi Abdel Salam —más o menos estos fueron los principales miembros.

A la apertura del festival asistió todo el cuerpo diplomático con banderas y toda la pompa. Enseguida, en un salón pequeño, hubo un brindis a los miembros del jurado dado por la emperatriz Farah Diva, que se presentó sola, muy elegante y hermosísima, sin joyas. Nos formamos en herradura y la emperatriz fue hablando con cada uno de los miembros del jurado en inglés o francés, habiendo leído y memorizado el currículo de cada quien. A Rouben Mamoulian le recordó cuando dirigió primero teatro en Londres y después su carrera en Hollywood; así fue saludando a cada uno hasta terminar. Yo ocupaba el último lugar. Me dijo:

—Señor Figueroa, le agradezco su aceptación a ser miembro del jurado. Pretendemos que este festival de cine sea uno de los más importantes. Su trabajo es muy conocido en mi país, la última de sus películas que vimos fue *La noche de la iguana*. Pero, dígame, ¿qué le hizo venir tan lejos de su país?

Rápidamente contesté:

—Persépolis.

—Debería habérmelo imaginado... el interés arqueológico. En su país tienen maravillas: Chichén Itzá, Uxmal, Teotihuacán, Mitla... No las conozco, pero me encantaría verlas...

—Señora emperatriz, yo no soy nadie, pero podría sugerir al gobierno que le extienda una invitación.

—Gracias. Desde luego están ustedes invitados a Persépolis cuando termine el festival. Tengo entendido que lo acompaña su señora esposa, que es una magnífica pintora según me han informado...

Rápidamente le hice una seña a Antonieta para que se acercara.

—Mi esposa, señora emperatriz...

La saludó y enseguida le preguntó cuándo haría una exposición en Teherán. Antonieta le dijo que se sentiría muy honrada.

—¿Qué tipo de pintura hace usted?

—Empecé con figurativo y luego he trabajado abstracto y semifigurativo, mucho dibujos, entre otras cosas.

—Estoy segura de que su pintura es magnífica, pues en México tienen a los más grandes muralistas y pintores, como Diego Rivera, José Clemente Orozco, David Alfaro Siqueiros, Rufino Tamayo…

Lo increíble es que la emperatriz recordó todos los nombres y trabajos que estaban en mi currículo, pero lo que no estaba eran los nombres y detalles de las zonas arqueológicas mexicanas. Quiero decir que aparte de belleza física, la emperatriz tiene cultura.

Visitamos Persépolis, una maravilla. De allí volamos a Munich con Peter Schamoni, de quien recibimos muestras de afecto y amistad. Tenía una magnífica colección de cuadros de Max Ernst y había escrito libros sobre el pintor.

En 1976 se realizó *Los aztecas*, una coproducción entre Televisa y Francia, capitaneados por el antropólogo Jacques Soustelle y bajo la dirección del señor Manuel Boudou. Fotografiamos todo lo concerniente a los aztecas: pirámides en Veracruz, Tula y Teotihuacán, las figuras monumentales del Museo Nacional de Antropología y los frescos de Cacaxtla, recién descubiertos.

Dos años después trabajé para la televisión, en unos anuncios de los productos Domecq. En los anuncios se presentaban los edificios más hermosos de mundo, por lo que hicimos una serie de viajes muy interesantes. Dirigió Juan Ibáñez y yo participé con mi equipo: Fernando Calvillo y Pablito Ríos. Catalina Zepeda fue una magnífica organizadora.

Filmamos el castillo de Blois y los del Loira, Mont Saint Michel y lo más atractivo de París, en Francia; de Bélgica: Brujas, su torre y sus lugares mágicos; de España: Madrid, El Escorial, la Alhambra, Granada, Cadaqués, Barcelona y las obras de Gaudí, Ávila, entre otros; en Italia: el Palacio Ducal, San Marcos, las calles y puentes de Venecia, y el Capitolio, el Coliseo, las ruinas en Roma; de Grecia: Atenas, el Partenón, el museo y Cabo Sounion, y de Egipto: Cairo, Luxor, Karnak, Memphis y Tebas. También estuvimos en Nueva York, Gruyère, Lausana y Montecarlo. Fue un trabajo muy placentero pues pocas veces hay anuncios con tan magnífico material artístico.

De regreso en México, después del último viaje a Egipto, comimos con don Luis Buñuel, quien me preguntó si era cierto que había estaba trabajando para la televisión. Le conté del viaje, especialmente de España. Luego le pregunté si él no había trabajado para la televisión.

—No —me dijo—, tuve una propuesta por medio de mi agente en París. Quería que hiciera un anuncio para el agua Perrier, les pedí cien mil dólares el minuto y aceptaron. Sólo que mi agente, al leer el texto del anuncio, me dijo: "Nos matan".

—¿Por qué? —pregunté, y me contó el contenido:

—Comenzamos con un *zoom back*... *close up* de Cristo en la cruz hasta un *full shot* del ambiente: María Magdalena, los centuriones, etc. Corte a Cristo, *close up*, quien dice: "Tengo sed". Corte a un *close up* de las manos del centurión con una gran esponja que sumerge en un medio barril en el que se lee "Perrier"... Corte a Cristo, *close up*, entra la esponja a cuadro... Cristo trata de evadir la esponja y dice: "De ésa, no"... Firmado por Luis Buñuel. Funcionaba, pero no lo hicieron.

Las películas más importantes que filmé en la década de los años setenta fueron: *María*, de Jorge Isaacs, en Colombia; *Coronación*, de José Donoso; *La Generala*, con María Félix; *Divinas palabras*, de Valle Inclán, dirigida por Juan Ibáñez; *Los hijos de Sánchez*, de Oscar Lewis, y *Cananea*, con la dirección de Marcela Fernández Violante.

CAPÍTULO XXIV. 1976-1982

Sexenio de José López Portillo y su hermana Margarita López Portillo como directora de Cinematografía.

Sin comentarios...

Mientras estaban filmando *Campanas rojas* en México (dirigida por Serguei Bondarchuk y apoyada por Margarita López Portillo), la URSS presentó en el Festival Cervantino algunas obras de Shakespeare muy bien interpretadas. Al terminar una de las representaciones, el profesor Ludwik Margules —que habla ruso—, mi hija Tolita y otros alumnos de él fueron al escenario a felicitar a los actores. Tolita preguntó qué tal era como director el señor Bondarchuk. Uno de los actores le contestó "En la URSS nunca se ha considerado buenos directores a los actores. Serguei se ha especializado en los conjuntos gigantescos. En la película que hizo sobre Napoleón, en la batalla contra los ingleses, si Napoleón hubiera tenido el ejército que Bondarchuk propuso en la pantalla, les hubiera dado hasta por debajo de la lengua a los ingleses".

Lo único positivo de *Los hijos de Sánchez* (1977) fue haber trabajado al lado de Anthony Quinn, qué gran actor y qué gran compañero. Ayudó a las actrices a que comprendieran el papel que estaban interpretando, la indumentaria lógica de cada secuencia, el despeinado que requerían ciertas escenas, pues la mayor parte de las veces, éstas se presentaban al escenario como si salieran de la Tintorería Francesa y se suponía que tenían días de estar en peregrinación. Explicó, después de alguna interrupción en una escena, cómo al actor le quitan la concentración necesaria para su interpretación con esos cortes. Demostró muchas grandes pequeñas cosas que los actores deben saber y lo hizo de la mejor manera, sin hacer sentir que estaba dando clases. Desde luego, durante la filmación, Quinn se dio cuenta de las alteraciones que hacía el director Hall Bartlett, por debajo del agua, al guión original de Cesare Zavattini. Lo comentó conmigo:

—¿Qué hacemos?

—Pues lo único que se puede hacer —le respondí— es que tú supervises la edición final. Creo que esto puede arreglarse con los productores en México.

Pero nada se pudo hacer.

Terminada la película, Anthony dio un fiestón en el hotel Camino Real: trajo una orquesta griega de Nueva York, se sirvieron los mejores vinos y champaña, invitó a sus grandes amigos, entre ellos a Miguel Alemán Velasco, a Miguelito, Christian, Santiago Roel, Badin, entre otros. Al final, ejecutó el número estrella: bailó griego invitando a cada una de las damas. Luego le pidió al licenciado Alemán que le enseñara algunos pasos de "La Bamba". El licenciado lo hizo y ambos bailaron "La Bamba". Fue una fiesta inolvidable. Gracias por todo, Tony, por tanto cariño.

CAPÍTULO XXV. BAJO EL VOLCÁN

En su primera estancia en México, Malcolm Lowry se bajó de un camión en la plaza de Acapulco sin nada en las manos y entró directamente al bar Los Siete Mares. Allí estaba Lou Riley, casado en ese entonces con una americana. Malcolm les preguntó si podía sentarse y le dijeron que sí. Era una mesa muy grande y podía sentarse cualquiera. Pidió un trago y comenzó a platicar con ellos; se dieron cuenta de que era una persona interesante, aunque todavía no había escrito *Bajo el volcán*. Le invitaron unas copas y luego a cenar a algún otro lado. Por el camino le quisieron comprar una camisa. Él se rehusó, o iba tal y como estaba vestido a cenar o no iba. "Bueno —le dijeron—, vamos así, sólo que primero pasamos a la casa." Llegaron, le mostraron una habitación, le preguntaron si quería asearse y le prestaron una camisa: él se la puso. Llegaron al restaurante, cenaron y al terminar le preguntaron a qué hotel iba. "No sé", contestó. Entonces lo invitaron a hospedarse en su casa, aceptó y vivió allí como una semana. Era alcohólico. Todas las noches se levantaba y ellos lo atendían, lo paseaban, le daban algunas copas. La casa tenía un estrecho corredor desde la puerta de entrada donde Lou Riley se sentaba a leer el periódico, pues dejando la puerta abierta entraba aire fresco. Uno de tantos días apareció Malcolm y le dijo que quería hablar con él, Lou dejó el periódico para atenderlo.

—Mira, estoy enamorado de tu mujer. Ella no lo sabe, porque quería saber qué piensas tú.

Lou secamente le indicó la puerta y le dijo:

—*Out*!

Malcolm fue a su recámara, sacó algunos papeles y salió. Al llegar a la puerta volteó y le dijo:

—*Are you sure*?

—*Out*! —le gritó Lou.

No se volvieron a ver.

La historia de la filmación de *Under the Volcano* resulta curiosa por la cantidad de situaciones que ocurrieron antes, durante y después de la misma. Este magnífico libro es, en cierta forma, una invitación a la esquizofrenia, a la exaltación y la depresión simultáneas, a la seducción y el abandono, fascina e intimida su mundo terrorífico, es exhaustiva para el gusto. El autor, Malcolm Lowry, vivió su vida en tal forma que pudo consumirla en una ficción.

El primer conocimiento que tuvimos de la obra don Luis Buñuel y yo fue por Zachary Scott, quien tenía una opción sobre los derechos de la obra y quería interpretarla. Acordamos gustosos asociarnos con Zachary, quien conseguiría en Estados Unidos el dinero para filmarla. Él había trabajado con nosotros en *La joven*. Pero por entonces se estrenó la película *The Lost Weekend* (1945), de gran éxito, justo cuando *Under the Volcano* empezó a circular en librerías; esto le restó todo interés para llevarla al cine. Zachary Scott regresó a Estados Unidos y murió. Intentamos conseguir por nuestra cuenta los derechos de la obra, pero no lo logramos.

Más tarde, don Luis sugirió a los hermanos Hakim, sus productores en Francia, adquirir los derechos; para cuando lo lograron —años más tarde—, don Luis ya no quiso dirigirla. La obra pasó entonces por muchas manos. Muchos directores fueron contratados para dirigir la película: Luis Buñuel, Jules Dassin, Joseph Losey, Ken Russel, Jerzy Skolimowski, Paul Leduc y, por último, John Huston, quien recibió una adaptación bastante aceptable de Guy Gallo, estudiante de la Universidad de Yale, pero siempre había una razón que impedía echar adelante el proyecto.

Un día me llamó a Cuernavaca Jules Dassin para preguntarme, de parte de los productores, si me interesaba fotografiar la cinta. Me sugirió vernos en la ciudad de México, pues al día siguiente saldría para Europa: "Le voy a quitar poco tiempo, aunque después de que haga la adaptación sí hay que hablar largo". Lo convidé a cenar en casa con otras personas. Aceptó gustoso, pues los otros invitados eran Luis Buñuel, Dolores del Río y Lou Riley, el esposo de Dolores, el mismo que había tenido a Malcolm Lowry como huésped en Acapulco cuando empezaba a escribir… Al terminar la cena, Dassin me propuso: "En tres meses terminaré el guión, se lo envío y le ruego haga una crítica severa, pues éste es su ambiente". Tres meses después recibí una carta del señor Dassin, comunicándome que por una estupidez de su parte había tenido que renunciar al proyecto y deseándome que la pudiera fotografiar.

Algunos años después, en una cena en casa de Bruno Pagliani, me tocó estar en la mesa junto a Silvia Suárez, a quien no tenía el gusto de conocer (aunque conocía muy bien a su papá). Me preguntó por qué no se había filmado *Bajo el volcán*, y le conté las razones. Me dijo que había conocido a Dassin en Cuernavaca y que le tenía fe a la película: "¿Por qué no nos asociamos? Sé que usted es socio de una compañía de la CLASA y podemos intentar". Acepté su propuesta rogándole que se comunicara con Jules Dassin para ver si aún estaba interesado. Dassin respondió afirmativamente y nos recomendó hablar a Nueva York con su agente, para que él pudiera tramitar los derechos de la obra pues pronto se les vencerían los derechos a los hermanos Hakim. Desafortunadamente para nuestros planes, Richard y Raymond Hakim renovaron la opción; nos olvidamos del plan.

Supe que más tarde Paul Leduc, el director mexicano, estaba trabajando en Londres con el actor Robert Shaw en la adaptación de la obra. Pero Shaw murió por entonces y Paul Kohner arregló la compra de los derechos para la compañía que finalmente la realizó.

En 1982 Lucero Isaac me trajo a casa a presentar al señor Wieland Schulz-Keil y a Moritz Borman, productores asociados de Michael Fitzgerald, quienes ya tenían la adaptación de Guy Gallo que el señor Huston había aprobado. Les ayudé a presentarla para la censura.

Le propuse a mi amigo Gunther Gerzso, gran pintor y escenógrafo de cine, que tuviera a su cargo la dirección artística de la película. Aceptó feliz. El reparto contó con el gran actor Albert Finney, Jacqueline Bisset, Anthony Andrews, Ignacio López Tarso, Katy Jurado, René Ruiz y Emilio Fernández. En mi apreciación, tanto Albert Finney como Jacqueline Bisset estaban *miscasted*, no eran apropiados para sus papeles. Lo hubieran hecho mejor Richard

Burton y una actriz sexy. Por ello falló la película en taquilla.

La realización de la película fue, por un lado, muy afortunada, pues a las cuatro semanas ya llevábamos una semana de adelanto, la terminamos en ocho semanas y ocupamos una más para pequeños detalles y los títulos. Pero, por otro lado, sucedieron muchos hechos desafortunados: Alfonso Castro Valle, contratado para hacer de embajador, se rompió el tobillo antes de comenzar. El primer día de trabajo habíamos puesto reflectores en los techos de las casas y éstos se derrumbaron. El segundo día el operador, para descansar, dejó la cámara sobre un tripié y un niño curioso metió la cabeza dentro del tripié y lo tiró; la cámara se hizo pedazos. Otro día, el hijo del presidente municipal, que venía manejando borracho un camión, tiró una torre donde teníamos un reflector de diez mil watts encima, haciéndolo añicos. Yo, una noche, me caí a un barranco. A Gunther Gerzso le asaltaron su casa y el robo fue cuantioso. Al final de la producción, cuando faltaba sólo un día de trabajo, un electricista vino a pedirme permiso para irse a trabajar a una película americana que comenzaba en Chiapas. Le di el permiso y el camión en el que iba rumbo a la locación se volteó, fue a dar al hospital y no trabajó en la película. Angela Dodson, encargada de vestuario, fue a cobrar, dejó su bolsa en la oficina mientras hablaba por teléfono y la bolsa desapareció. El perro de John Huston mordió a su secretaria; le tuvieron que reconstruir el rostro. Y por último, en la librería Dally's, llegó un hombre y empezó a ver los libros. La encargada sospechó algo y, como estaba sola, guardó sus aretes y su Rolex en una bolsita y la escondió. El señor tomó un libro y le preguntó cuánto costaba, la encargada abrió el libro y encontró una nota que decía: "Le estoy apuntando con una pistola. Saque sus aretes y el Relox. Deme todo el dinero de la caja". El libro era *Bajo el volcán*.

Allí mismo, en Cuernavaca, se editó la película, luego fui a Hollywood al laboratorio donde se harían las copias, pues el negativo y los *rushes* se habían procesado magníficamente en México, gracias a la mano mágica de Celiz Ruiz del laboratorio de Churubusco. Ya en Hollywood, en el laboratorio Technicolor, después de corregir cuatro días los tonos, colores y densidades, dimos por terminada nuestra labor, y digo nuestra porque fui asistido por mi hijo Gabriel, experto en color.

Asistimos invitados a la premier de lujo de *Bajo el volcán* en Hollywood, después a una gran cena, y al día siguiente en un teatro de arte nos presentamos el señor Huston, Mike Fitzgerald, Alex North, quien compuso la música, Alberto Isaac y yo para contestar preguntas del público.

Bajo el volcán fue presentada en el Festival de Cannes y Albert Finney fue nominado para el Oscar de la Academia de Ciencias y Artes de Hollywood.

Mi trabajo de fotografía obtuvo muy buena crítica en la prensa de Estados Unidos. Sin embargo, *Under the Volcano* tenía *jinxes*, embrujamiento. Siempre lo pensé, hasta que llegué a comprobarlo. Yo era uno de los embrujados. Desde que terminé la película no he vuelto a trabajar, y eso que tuve muchas ofertas para fotografiar: *a*) firmé un contrato para hacer una película con Michael Cacoyannis e Irene Papas, para Agustín Gutiérrez Silva; *b*) *Eterno esplendor*, de Jaime Humberto Hermosillo, María Félix firmó su contrato, pero hasta la fecha no se ha hecho; *c*) Televisa me ofreció un contrato para una película de Luis

Alcoriza; *d*) me ofrecieron hacer *Rambo II*, no la tomé por ser un asco de película; *e*) *Prizzi's Honor*, de John Huston, en Nueva York, y, por último, *g*) *La esmeralda negra*, de Flor Romero. Suficientes pruebas de que el embrujado soy yo.

Un año después de haber terminado *Bajo el volcán*, me habló por teléfono Paul Kohner preguntándome si quería fotografiar *Prizzi's Honor*, que dirigiría John Huston, con Jack Nicholson en el estelar.

—¿Puedes trabajar en Estados Unidos?

—No lo sé. Te ruego lo averígües –le respondí.

Días después me habló nuevamente y, siempre tan amable, me dijo: "Negaron el permiso de trabajo". Pensé: "¿Seguirá el macartismo?"

En 1987 Gunther Gerzso viajó a California, donde visitó a sus amigos, la familia de Sam Goldwyn. Una de sus hijas se encargó de atenderlo y Gunther le pidió que lo llevara a comprar una caja de chocolates. Ella le preguntó para quién eran y él le contestó que eran para su amigo, Gabriel Figueroa, a quien ella no conoce pero que es uno de los mejores camarógrafos del mundo. Ella recapacitó, le preguntó de nuevo el nombre y recordó: "Ah sí, fue el que rehusó firmar un contrato con mi papá". Algo que sucedió cuarenta años atrás.

Después de recibir homenajes en San Francisco, Colorado, Minesota, San Diego y en Canadá, recibí una invitación del Puerto Rico Film Festival para hacerme un homenaje, algo especial. Néstor Almendros, el gran fotógrafo, me ofrecía hacerme una entrevista al estilo de la que François Truffaut le hizo a Alfred Hitchcock, porque, aseguraba, nadie sabe hacer las preguntas a un cinefotógrafo. Lamentablemente me enfermé y no pude asistir.

Néstor Almendros me llamó por teléfono y luego me mandó su libro con la siguiente dedicatoria: "Para Gabriel Figueroa, el gran maestro de la luz, al que todos le debemos tanto, con la inmensa admiración de Néstor Almendros. Nueva York, diciembre, 1989".

ANEXO 1.
LOS PRESIDENTES

1934-1940 Conocí al general Lázaro Cárdenas en Los Pinos, en 1936. Con él se hizo por vez primera el desfile deportivo del 20 de noviembre. Lo fui a fotografiar. Llegué a las siete de la mañana y pregunté: "¿Ya se levantó el señor presidente?" "Está nadando desde las seis de la mañana", me respondieron. Más tarde, cuando ya no era presidente, lo fui a ver para arreglar una cita para los dirigentes mineros. Fue muy amable, incluso al final me acompañó a la puerta.

1940-1946 El presidente Manuel Ávila Camacho fue quien finalmente dio el permiso para crear nuestro nuevo sindicato fuera de la CTM: el Sindicato de Trabajadores de la Producción Cinematográfica de la República Mexicana (STPCRM). Me invitó a presenciar nuestro desfile de artistas y técnicos desde el balcón de Palacio Nacional, para agradecer el gesto. En 1945, como secretario de Técnicos y Manuales del STPCRM, firmé el primer contrato colectivo con los Estudios Churubusco, con el señor Emilio Azcárraga. Una de las primeras películas que allí se rodaron fue *La perla*. Manuel Ávila Camacho estableció el Banco Cinematográfico, los Estudios Churubusco, las cadenas de exhibición.

1946-1952 El presidente Miguel Alemán iba a cenar a la casa de Mario Moreno *Cantinflas*, desde que era presidente electo. Mario y yo lo atendíamos y tratábamos con él los problemas del cine. A él le tocó parte de la época de oro del cine mexicano.

1952-1958 Al final del sexenio, cuando ya era presidente electo el licenciado Adolfo López Mateos, el periódico trajo la noticia de la venta de los Churubusco a Gabriel Alarcón, por la suma de treinta y tantos millones de pesos. Rápidamente fui a ver a López Mateos, entré a su recámara y le mostré el periódico. "Déjamelo", me dijo. Informó de esto al presidente Adolfo Ruiz Cortines. Ese mismo día el licenciado Uruchurtu, jefe del Departamento Central, citó a don Emilio Azcárraga y le preguntó sobre la venta. "¿Pidió usted permiso para la venta a la Secretaría de Relaciones?" "Yo no necesito pedir permiso para esto", contestó. "Sí debería usted obtener el permiso, pues Gabriel Alarcón es prestafirmas de don Guillermo Jenkins". Uruchurtu le pidió que regresara al día siguiente junto con Gabriel Alarcón y se rompería el trato: "Usted nada pierde, el Distrito Federal comprará el estudio y obtendrá su dinero".

1958-1964 El presidente López Mateos pidió una reestructuración de la industria cinematográfica. Para ello fuimos nombrados el licenciado Federico Heuer, director del Banco Cinematográfico, César Santos Galindo, director de los Estudios Churubusco, y yo. Después de unos meses de estudio, terminamos el trabajo. Un día, mientras jugaba cartas con López Mateos, me preguntó sobre la reestructuración, le contesté que ya estaba lista. "¿Cuál es el punto más importante?", preguntó. "Sugerimos un diez por ciento sobre el boleto del cine a favor de un crédito revolvente para las operaciones del Banco Cinematográfico y ayuda a la producción". Se quedó callado. Entonces le dije: "Cuando menos muéveme la cabeza". Se rió y dijo: "Juega. Mándame a César Santos Galindo mañana..." Llegó César a Palacio y López Mateos confirmó la propuesta. En esos momentos, los productores habían detenido la producción. Santos Galindo llegó a la junta de la asociación de productores, y les contó lo del diez por ciento. Pero alguien —tengo mis sospechas de quién fue— dio la noticia al periódico *Novedades* y al día siguiente, a ocho columnas, apareció en el periódico. López Mateos se disgustó mucho. Nos atacaron de varios lados, entre ellos los del Fondo de Cultura Económica, quienes dijeron que ellos hacían cultura y nosotros churros para enviarlos al extranjero. Después, hice una cita con López Mateos para los productores. Los pasaron a su oficina, "Señor presidente, le presento a usted a los señores productores". Le preguntaron qué había pasado con el diez por ciento. López Mateos les contestó: "Ustedes deben de pensar en otra cosa, pues lo del diez por ciento está cancelado. Y de ahora en adelante, el encargado de los problemas del cine es el licenciado Díaz Ordaz, secretario de Gobernación". Cuando salimos, Óscar Brooks me preguntó: "¿Pues no que era tu primo? ¿Por qué le hablaste de usted?" "Porque aquí es presidente", le contesté.

María Félix conoció al presidente López Mateos en casa de los Carrillo Flores. Allí mismo lo invitó a su casa a cenar. María me llamó por teléfono y me hizo saber que el presidente había aceptado, pero que para saber la fecha debía comunicarse conmigo. Le pregunté al presidente si de veras tenía deseos de ir. Me contestó que sería un gran placer y me dio la fecha, inmediatamente se la comuniqué a María. "Es seguro", le dije. Alex Berger, marido de María, me llamó para invitarnos a mi señora y a mí. Llegó el día de la cena. Alex me volvió a llamar para pedirme los datos de alguna persona influyente para ir al aeropuerto, pues la cena venía del Maxim's de París y era necesario que llegara caliente. La cena fue para setenta personas y estuvo espléndida. Y allí quedaron que cada año le ofrecerían una cena en esa misma fecha. Llegó el segundo año y Alex llamó para invitarnos. El tercer año, igual. Al cuarto hubo una variante de nuestra parte: no aceptamos ir por estar yo disgustado con la señora de López Mateos. Alex comentó: "Treinta y cinco millones de mexicanos y hay uno que no quiere venir a cenar con el presidente". Otro año más; volvió a llamar y contesté: "La situación es para siempre". El último año también llamó. "No ha variado la situación", contesté. A la cena no asistió la señora de López Mateos. Al siguiente día, a las ocho de la mañana, me estaba llamando María: "¿Sabes?, la fiesta estuvo estupenda, las variedades, etcétera... En un momento le comenté al presidente: '¿Nos ha hecho falta alguien?' Adolfo contestó: 'Sí, Gabriel'. 'Sí', afirmó María... 'Pero Gabriel tiene la razón', me dijo López Mateos."

1970-1976 El presidente Luis Echeverría se interesó mucho en el cine. Otorgó una fuerte cantidad de dinero para la producción cinematográfica por medio de un subsidio. Dio oportunidad a los jóvenes cineastas. Ha sido sin duda la mejor época del cine mexicano.

1976-1982 José López Portillo escogió mi casa de Coyoacán para una reunión con los cinematografistas, una comida. Le presentamos varios planes, pero ya tenía en cartera a su hermana. Como títeres nos bailó, y dio al traste con la industria. Jamás estuvo más mal manejada, su hermana nunca la entendió.

1982-1988 Al presidente Miguel de la Madrid le leí, en tres cuartillas, el proyecto del instituto para el cine; si le gustaba, ya trabajaríamos en ello. Lo aceptó, incluido el Banco Cinematográfico y un cuerpo colegiado para decidir, sobre todo, el manejo y selección de las películas del Estado. Pero el banco fue liquidado y el cuerpo colegiado ni se nombró. Le propuse lo siguiente:

Señor presidente:
Respondiendo a su llamado y a la necesidad de aumentar las exportaciones que generan divisas en dólares, someto a su alta consideración:

Plan a corto plazo para traer a México el importante monto de divisas en dólares generadas por la exhibición de películas mexicanas en las salas para público latino en Estados Unidos: California, Texas, Chicago, etcétera.

Aumentar la posibilidad de exhibición de películas mexicanas con subtítulos en inglés en los teatros que únicamente pasan películas norteamericanas.

Mayor desarrollo en las ventas para la televisión de Estados Unidos, así como la venta de videocasetes de nuestras películas.

Proponemos:
I. La creación de un organismo de crédito de fideicomiso, tanto para el manejo del crédito que se otorgue como para rescatar los activos del Banco Cinematográfico.

II. Creación de un Consejo de Administración y Operaciones dirigido por una persona idónea para estudiar, aprobar y otorgar créditos a la iniciativa privada, a la oficial, y a las cooperativas sindicales de la industria.

III. Intervención de uno o varios representantes de la comisión de operaciones en películas nacionales y películas mexicanas, para vigilar la recuperación de los créditos principalmente en el extranjero, en dólares que serían pagados en México a los productores en moneda nacional, evitando la retención de los ingresos en dólares en Estados Unidos.

IV. Crédito abierto para que con la revolvencia de lo que se recupere por explotación de las películas más los ingresos procedentes de la exhibición de películas subtituladas en inglés y por la venta para la televisión y videocasetes en la unión americana.

Para lograr el interés de la iniciativa privada y su participación dentro del organismo financiero, será necesario:

I. Ofrecer al productor el dinero del crédito a un interés bancario menor del que le otorgan los bancos americanos a los productores mexicanos.

II. Garantizar al productor que una vez terminada su película será estrenada inmediatamente por la organización del Estado COTSA. Esto último significa un ahorro considerable para el productor en intereses bancarios, pues hasta la fecha de su estreno, las películas esperan un año.

Dentro de este marco, nos permitimos recomendar:

Que parte de la producción estatal, entre otros objetivos, realizará películas cuya imagen, entretenida, digna y nuestra, sea en especial dirigida a la población de mexicanos que vive en Estados Unidos y que es alimentada en los últimos años por una imagen pobre de nuestros país, enteramente despintada.

Respetuosamente
GABRIEL FIGUEROA

De su sexenio, recuerdo una anécdota. Alberto Isaac era el encargado de traer armas y municiones para la película *Rambo II*, pero aún no obtenía el permiso. Un día, me llamaron del sindicato: "¿Es usted amigo del secretario de la Defensa, general Juan Arévalo Gardoqui? Contesté: "Sí, me hice amigo de él durante el gobierno de López Mateos, era su ayudante. Le decíamos Juanito, era simpático y amable..." "Pues bien, el general ya tiene todos los datos y no da el permiso. Como se acerca el informe presidencial, es imposible hablar con él, y la compañía americana se desesperó y ya se van." Fuimos a intentar verlo. La secretaria, muy amable, me dijo: "El general está con todos los jefes militares y no se le puede molestar... Sin embargo, por tratarse de usted, le pasaré una nota. Yo le llamo a usted esta noche". Era viernes. Por la noche, gran sorpresa: la secretaria me llamó y me dijo que el general me esperaba el martes a las doce horas. Le hablé a Alberto Isaac para informarle. "El martes es muy tarde, esto tiene que resolverse hoy", me dijo. Al rato me llamó Alberto y me informó que ya estaba arreglado. Más tarde nos vimos y me dijo que el licenciado Bartlett, secretario de Gobernación, lo había arreglado directamente con el general Arévalo Gardoqui. ¿Cómo? Diciéndole que un miembro de la familia de la Madrid estaba metido en la oferta y la demanda. Entonces llamé al sindicato para informarles. Les pedí que mandaran un ramo de flores a la secretaria y cancelaran la cita del martes. "No —me dijeron—, vamos para que usted nos presente para futuras operaciones". El martes a las doce en punto salió el ayudante y me dijo: "Puede usted pasar." "No, yo solo no... Vengo con el comité del sindicato." "Bien, pasen." El general estaba sentado en su escritorio. Lo esperamos de pie, se acercó y nos saludó de mano a todos, como si nos conociéramos. (Bueno, así es esto.) Nos indicó la mesa de acuerdos, nos sentamos. Resuelto tomé la palabra: "Señor secretario, he venido junto con el comité para agradecerle, primero, el habernos recibido estando usted tan ocupado y, luego, el otorgar el permiso". Contestó: "¿Saben ustedes por qué estoy aquí? Por honrado, pues no acepto mordidas". Rápido le hice la aclaración de que el sindicato apenas el jueves pasado se había enterado que se retiraban la compañías americanas y que antes no sabía nada de todo eso. Y agregué que él y yo habíamos tomado lecciones de una inolvidable persona: López Mateos.

Más tarde, renunció Alberto Isaac al instituto y entró el fatal Enrique Soto Izquierdo, que nunca se enteró de lo que era la industria. Al principio, pedí audiencia con el presidente de la Madrid. Me recibió muy amable, le llevé un plan que abarcaba la creación de una organización de crédito y un consejo, y por último, que la producción estatal realizara proyectos dignos, especialmente para los públicos latinos en Estados Unidos.

—¿En principio lo aprueba el señor presidente?

—En principio y en final, lo apruebo.

—¿Cuál es la mecánica? —pregunté.

—La Secretaría de Hacienda por lo del crédito y la Secretaría de Gobernación.

Hice una pausa.

—Si en vez de tanto papeleo, usted con su manita apunta con el dedo y ordena, sería más fácil...

Se rió y dijo:

—Así será, vea usted a Soto Izquierdo mañana, yo lo llamo por teléfono hoy mismo.

—Mil gracias, señor presidente.

De allí más tarde salió el Fondo de Fomento a la Calidad Cinematográfica, en 1987.

En 1986 vino a verme el licenciado Jesús Hernández Torres, director de Radio, Televisión y Cinematografía, para decirme que el señor presidente me invitaba para acompañarlo a ver la película *Nostalgia* de Andrei Tarkovsky y que luego quería reunirse con algunos cineastas —nada oficial— para cambiar impresiones y que él no era nadie para invitar al señor presidente a cenar: "Pero usted sí". Acepté gustoso, fuimos a la Cineteca y luego vinimos a mi casa de Coyoacán a cenar y platicar. Los convidados fueron el licenciado Manuel Bartlett, Hernández Torres, Felipe Cazals, Arturo Ripstein, Jacobo Feldman, José Ma. Fernández Unsáin y Carlos Monsiváis.

1988-1994 En febrero de 1989, por moción del licenciado Víctor Flores Olea, presidente del Consejo Nacional para la Cultura y las Artes, fui el anfitrión de una comida en mi casa de Coyoacán para el señor presidente Carlos Salinas de Gortari. Invitados: licenciado Flores Olea, licenciado Ignacio Durán Loera, director del Instituto Mexicano de Cinematografía, Ignacio López Tarso, Silvia Pinal, Manuel Barbachano Ponce, Gabriel García Márquez, Jorge Fons, Jorge Sánchez, Pedro Armendáriz, Julián Pastor, Felipe Cazals, Arturo Ripstein, Alejandro Pelayo, el licenciado Cárdenas y Pepe Estrada Jr. La intención de esta reunión de trabajo era que los cineastas creativos le hicieran saber sus necesidades para realizar un "cine de calidad". La primera pregunta fue dirigida a mí: "Se ha especulado acerca de la venta de los Estudios Churubusco. Yo creo que ya son incómodos urbanamente, podríamos pasarlos a algún otro lugar". Le respondí que no estaba de acuerdo, pues precisamente su ubicación es una comodidad para artistas y técnicos para poderse desplazar a la radio, televisión y teatros fácilmente. El presidente contestó: "¡Se quedan!" Respondí: "Gracias, pues es el alma nuestra". Además, se acordó dar importancia a la producción de Estado e integrar las comisiones de Ayuda, Consejo y Vigilancia para el Imcine. Los Estudios Churubusco, los América, la academia de premiación, la Cineteca Nacional, así como el Fondo de Fomento a la Calidad Cinematográfica dependerían del Consejo Nacional para la Cultura y las Artes, de la Secretaría de Educación Pública, mientras que Radio, Televisión y Cinematografía quedaría en la Secretaría de Gobernación. El señor presidente afirmó: "Yo pongo todos los medios para el cine de calidad... ustedes su talento".

ANEXO 2.
CRONOLOGÍA

1907 Gabriel Figueroa nace en la ciudad de México. Al fallecer su madre, queda junto con su hermano al cuidado de unas tías.

1911-1920 Tras cursar la preparatoria en San Ildefonso, Gabriel Figueroa estudia pintura en la Academia de San Carlos y música en el Conservatorio Nacional de Música.

Francisco I. Madero proclama el plan de San Luis de Potosí (1910), que incluía la no reelección y la puesta en marcha de la reforma agraria y convocaba a la rebelión contra Porfirio Díaz, iniciándose así la Revolución mexicana.

El primer periodo posrevolucionario (1917-1920) se caracteriza por la continuación de luchas intestinas.

El trabajo del fotógrafo de plató o fotofija es reconocido como oficio a partir de 1918.

1920-1924 Es elegido presidente Álvaro Obregón. La Revolución, señala Obregón, trae consigo un deseo de conocer y volver a lo nuestro, hay una consigna nacionalista en el ambiente. En pleno 1920 "nos encontramos descubriendo México". Comienza un periodo de intensa y agitada vida política y cultural que continuará a lo largo de las dos décadas siguientes.

El regreso de Diego Rivera a México (1921) marca el inicio del renacimiento muralista mexicano.

El pintor David Alfaro Siqueiros publica en la revista *Vida americana* sus "Tres llamamientos de orientación actual a los pintores y escultores de la nueva generación americana" (1921).

En 1923 llegan a México los fotógrafos Edward Weston y Tina Modotti.

Los premios Oscar de Hollywood incorporan a los directores de fotografía.

1927 Gabriel Figueroa descubre la fotografía gracias al retratista José Guadalupe Velasco.

1930 Figueroa se dedica a la fotografía comercial. Hace retratos y publicidad junto a los hermanos Gilberto y Raúl Martínez Solares quienes, al igual que Figueroa y Agustín Jiménez, abandonaron la fotografía de estudio para dedicarse a la de cine. Retoma su interés por la pintura cuando por azar reside en la calle de Mixcalco, donde vivían Diego Rivera, el escultor Germán Cueto y su esposa Lola Cueto, que hacía tapices. Fue Lola quien le encargó las fotografías de sus trabajos y también le proporcionó nuevos contactos con un grupo de pintores.

Sergei M. Eisenstein llega a México con los integrantes de su equipo, entre ellos el camarógrafo Eduard Tissé, para iniciar el proyecto finalmente frustrado *¡Que viva México!* La revista *Contemporáneos* (1928-1931) publica el artículo del director soviético "Principios de la forma fílmica" (*ca.* 1930).

1932 Se inicia como fotógrafo de tomas fijas en la película *Revolución* de Miguel Contreras Torres. Su primer maestro es Alex Phillips, uno de los muchos directores de fotografía norteamericanos que entonces trabajaban en México. Después trabaja como operador con Jack Draper.

1933 Gabriel Figueroa es uno de los veinte cámaras de *¡Viva Villa!* de Howard Hawks.
Tras siete años de exilio en Estados Unidos, Emilio Fernández regresa a México.
Se funda la Liga de Escritores y Artistas Revolucionarios (LEAR).

1934 Lázaro Cárdenas es elegido presidente. Consciente de la penetración del cine, Cárdenas alentó la naciente industria cinematográfica de México con acciones de apoyo a la producción de cintas nacionales o la filmación de cortos educativos y propagandísticos por parte de los recién fundados estudios Cinematográfica Latinoamericana, S. A. (CLASA), el Departamento Autónomo de Prensa y Propaganda y otras instituciones gubernamentales.

1935 La empresa Cinematográfica Latinoamericana, S.A. (CLASA), de los señores Alberto y Rico Pani, otorga a Figueroa una beca para estudiar en Hollywood, donde tiene como maestro a Gregg Toland, director de fotografía de *Citizen Kane.*

1936 A su regreso a México, Fernando de Fuentes le da su primera oportunidad: Figueroa dirige la fotografía de *Allá en el Rancho Grande*, con la que consigue su primer premio de fotografía en la Mostra, el Festival Internacional de Cine de Venecia en 1938. Es también el primer premio importante para el cine mexicano. Colabora con Alex Phillips en *Cielito lindo*.

1937 Se funda el Taller de Gráfica Popular.

1938 Figueroa fotografía un importante documental sobre la industria petrolera; la fuerza de la imagen de los trabajadores petroleros ayuda a la opinión pública a decantarse en favor de la expropiación petrolera.
Aparece el *Manifiesto por un arte independiente*, firmado por Breton y Trotsky.

1939 *La noche de los mayas*, dirigida por *Chano* Urueta, inspirada en el texto de Mediz Bolio, así como *Los de abajo*, basada en el libro de Mariano Azuela, marcan el inicio de un estilo propio en el trabajo de Figueroa.

1940 Figueroa se solidariza con los refugiados españoles y se une al rechazo general contra Franco. El comité de republicanos españoles en México (FOARE) lo nombra Miembro Honorario.

Es elegido presidente Manuel Ávila Camacho. Si Cárdenas descubrió a los campesinos y orientó su política hacia la agricultura, Ávila Camacho se propuso industrializar el país.

León Trotsky es asesinado en uno de los continuos atentados que tuvieron lugar en un clima de violencia generalizada.

Se presenta la Exposición Internacional del Surrealismo (1940) en la Galería de Arte Mexicano en la ciudad de México, organizada por André Breton, Wolfgang Paalen y César Moro. La conferencia de Breton sobre el surrealismo en el Palacio de Bellas Artes es precedida por la proyección de *Un perro andaluz*, de Luis Buñuel.

1941 Gabriel Figueroa colabora en la organización de la compañía Films Mundiales, de la que los principales asociados son Carlos Trouyet, Hipólito Signoret y Julio Lacaud, y Agustín J. Fink, el gerente. Se inicia la llamada "época de oro" del cine mexicano, con películas como *¡Ay, qué tiempos, señor don Simón!*, *Historia de un gran amor* y *Distinto amanecer*, dirigidas por Julio Bracho.

La actriz Dolores del Río introduce de nuevo a Figueroa en el mundo de la pintura, animándolo a impulsar desde el cine el movimiento iniciado por los muralistas, con cuyos protagonistas no duda en trabajar en un objetivo común: la búsqueda de una imagen mexicana.

1942 Figueroa participa en el Seminario de Educación Visual Panamericano, patrocinado por Nelson Rockefeller en los estudios Walt Disney.
Orson Welles, director de *Citizen Kane*, por medio de Mercury Prod., pide fecha para que Figueroa colabore con él.
Films Mundiales contrata a Dolores del Río, Pedro Armendáriz y a Emilio Fernández como director.
México declara la guerra a las potencias del Eje.

1943 Fotografía la película *Flor silvestre* de Emilio Fernández; es el inicio de la fructífera relación entre ambos.

1944 Figueroa ofrece una conferencia sobre educación visual en el Palacio de Bellas Artes de la ciudad de México, mostrando las películas aprobadas en el seminario en el que participó en Hollywood.
Da clases de cinematografía a los trabajadores de la Sección de Técnicos y Manuales del Sindicato de Trabajadores de la Industria Cinematográfica (STIC) de la Confederación de Trabajadores de México (CTM).
David O. Selznick, productor de *Lo que el viento se llevó*, invita a Gabriel Figueroa, por intermedio de Paul Kohner, a fotografiar algunos proyectos.
Walt Disney le ofrece un contrato para que viaje a La Habana a fotografiar el carnaval.

1945 Como secretario general de la Sección de Técnicos y Manuales del STIC-CTM, Figueroa denuncia en la prensa la corrupción entre los líderes sindicales del STIC. Fidel Velázquez, secretario general de la CTM, reúne a los tres comités ejecutivos para aclarar la publicación. Figueroa relata los acontecimientos y al nombrar a Salvador Carrillo, secretario general del STIC, entre los corruptos, éste lo golpea. Figueroa es hospitalizado de inmediato. Técnicos y Manuales hace una manifestación de protesta por el atentado. Todas las secciones de Producción se unen y determinan abandonar el STIC y formar el Sindicato de Trabajadores de la Producción Cinematográfica de la República Mexicana (STPCRM), bajo la dirección de Mario Moreno *Cantinflas*, Jorge Negrete y Gabriel Figueroa, y teniendo como abogados a los licenciados Adolfo López Mateos y Mario Pavón Flores. Ante los obstáculos que el STIC y la CTM ponen para la obtención del registro del STPCRM, reciben la ayuda solidaria del Sindicato Mexicano de Electricistas, el cual hace cortes en la transmisión de energía eléctrica a la ciudad de México. El presidente Manuel Ávila Camacho, con el objeto de terminar el conflicto intergremial, cita en Palacio Nacional a los dos comités ejecutivos, con la presencia de Fidel Velázquez, y propone un laudo presidencial que delimita las jurisdicciones de cada sindicato. El laudo es aprobado.

El presidente electo Miguel Alemán se reúne con Mario Moreno *Cantinflas* y Gabriel Figueroa, quienes le plantean las necesidades del cine mexicano para su progreso.

Gabriel Figueroa fotografía *La perla*, escrita por John Steinbeck y dirigida por Emilio Fernández. Esta película, coproducida por RKO de Hollywood, gana tres premios internacionales de fotografía en la Muestra de Venecia (1948), el Festival de Madrid (1949) y el Golden Globe de los Hollywood Foreign Correspondents (1949).

1946 Fotografía *El fugitivo*, de John Ford, interpretada por Pedro Armendáriz y Dolores del Río y basada en un libro de Graham Greene. Al término de la producción, Ford firma un contrato con Figueroa por tres años; el contrato no se cumple debido a la política macartista que le negó el permiso de trabajo en Estados Unidos, y a la oposición del sindicato IATSE, capitaneado por el señor Walsh.

Gana el premio a la mejor fotografía del Festival de Cannes por *María Candelaria*, producción de Films Mundiales.
Funda la primera Academia de Estudios Cinematográficos, que dirige Celestino Gorostiza y en la que funge como secretario Adolfo López Mateos.
En representación del comité central del STPCRM, planea la Academia de Ciencias y Artes Cinematográficas de México.
Da su apoyo a la huelga de laboratorios y escenógrafos en Hollywood, desplazados por la central IATSE, ordenando a los laboratorios de México no procesar ningún material de Hollywood.
Luis Buñuel llega a México.
Miguel Alemán asume la presidencia e intenta conciliar el capitalismo de libre mercado y el nacionalismo del Partido Nacional Revolucionario. Se inicia un periodo de violentas polémicas y también de renovada creatividad, propiciada por una nueva generación de artistas.

1947 Por *Enamorada* obtiene el premio a la mejor fotografía en el Festival Mundial du Film Palmaris, de Bruselas, Bélgica.
El Ateneo Nacional de Ciencias y Artes de México le otorga la Medalla de Oro.
Abel Gance, director de *Napoleón*, lo invita a fotografiar su siguiente película en Francia.
Gregory Ratoff, director, y Edward Small, productor, firman contrato con Figueroa para la realización de *Cagliostro*, que protagonizaría Orson Welles.

1948 Muere su maestro Gregg Toland. Paul Kohner, en representación de Sam Goldwyn, ofrece a Figueroa un contrato por cinco años, el mismo que tenía con Toland. Figueroa lo rechaza.

1949 Preside la asamblea que, a propuesta de los poetas Pablo Neruda y Efraín Huerta, se organiza en México en solidaridad con los cineastas de Hollywood despedidos de su trabajo y encarcelados por la "cacería de brujas" macartista. Gana los premios a la mejor fotografía de la Mostra de Venecia por *La malquerida*, y del Festival Mundial du Film Palmaris, de Bruselas, Bélgica, por *Salón México.*

1950 Fotografía *Los olvidados* de Luis Buñuel, primera colaboración a la que seguirán *Él* (1952-1953), *Nazarín* (1958), *Los ambiciosos* (1959), *La joven* (1960), *El ángel exterminador* (1962) y *Simón del desierto* (1964-1965).

La OEA, por medio de la Panamerican Union, le organiza en Washington una exposición-homenaje con la exhibición de sus películas en 16 mm.

Es invitado a participar en el Festival Cinematográfico de Karlovy-Vary, en Checoslovaquia, donde gana el premio a la mejor fotografía por *Pueblerina*, de Emilio Fernández, da una conferencia y es entrevistado por Georges Sadoul. Brinda su apoyo y ayuda solidaria a los mineros de Nueva Rosita y Cloete, Coahuila, en su movimiento de huelga contra la American Smelting Co.; a la huelga de los alumnos del Instituto Politécnico Nacional, y a los movimientos sindicales del grupo de Jacinto López, en Sonora.

Elia Kazan, por medio del productor Darryl Zanuck de la 20th Century Fox, le ofrece a Gabriel Figueroa un contrato para la filmación de *Viva Zapata!* con Marlon Brando. John Steinbeck y Elia Kazan vienen a México a leer el guión en Cuernavaca. Figueroa no participa en ella por no gustarle el guión.

En junio, inician las transmisiones televisivas en México.

1951 John Huston le propone a Figueroa ir a Francia a filmar *Moulin Rouge*.

El productor David O. Selznick viene a México de vacaciones y en Acapulco sostiene reuniones con Figueroa para estudiar un proyecto para Jennifer Jones en *Bridge in the Jungle* de B. Traven. En Acapulco, Figueroa conoce a la señorita Antonieta Flores Castro, con quien más tarde contraerá matrimonio.

1952 Adolfo Ruiz Cortines asume la Presidencia de la República. Se suscitan importantes cambios favorecidos por las circunstancias políticas y sociales. Se acentúa la rebelión de los jóvenes artistas contra el monopolio de los muralistas.

1953 Es invitado a Cuba para fotografiar una película sobre la vida de José Martí. Da una conferencia en la Universidad de La Habana.

Fotografía la película *La Tierra del Fuego se apaga*, en Ushuaia, Patagonia. Da una conferencia en la Universidad de La Plata.

1955 Se solidariza con el movimiento de Sierra Maestra de Fidel Castro.

1958 Adolfo López Mateos, presidente de México.

1959 Es nombrado secretario del Consejo de Producción de CLASA Films Mundiales.

Participa en el plan de reestructuración de la industria cinematográfica propuesto por el presidente López Mateos.

1960 El Instituto Estatal de la Unión Soviética exhibe algunas de las películas en las que colaboró para estudiar su fotografía.

A petición de Angélica Arenal y Adriana Siqueiros, se entrevista por más de tres horas en la cárcel con David Alfaro Siqueiros para interceder posteriormente en su favor ante el presidente López Mateos. Figueroa entrega personalmente una carta del pintor al presidente.

Colabora como consejero de producción en CLASA Films Mundiales en las películas basadas en la obra de Bruno

Traven; participa también en *El gallo de oro*, de Juan Rulfo, con adaptación de Carlos Fuentes y Gabriel García Márquez. Gana el premio a la mejor fotografía del Festival de Cannes por *Macario.*

1964 Fotografía *La noche de la iguana* de John Huston, interpretada por Richard Burton, Ava Gardner, Deborah Kerr y Sue Lyon, que le vale ser nominado para el Oscar de Hollywood.

1965 Participa en Cine Experimental con directores jóvenes como José Luis Ibáñez, Manuel Barbachano Ponce y Juan Ibáñez. Con Juan Ibáñez filma *Un alma pura*, basada en un cuento de Carlos Fuentes, en Nueva York.

1967 Doctorado *honoris causa* de la St. Mary's University en San Antonio, Texas, donde ofrece una conferencia sobre "La cinematografía internacional".

1968 Es nombrado miembro activo de The Academy of Motion Picture Sciences and Arts.

Presidente del jurado del festival de cortos deportivos de Oberhausen, Alemania.

1969 Fotografía en México *Two Mules for Sister Sara*, de Don Siegel, con Clint Eastwood y Shirley MacLaine, para Universal Pictures de Hollywood; y en Yugoslavia *Kelly's Heroes*, de Brian Hutton, con Clint Eastwood, Donald Sutherland, Telly Zavalas y Don Rickles, para la Metro Goldwyn Mayer.

1971 Fotografía *María* de Jorge Isaacs en Colombia.

Recibe el Premio Nacional de Artes de manos del presidente Luis Echeverría Álvarez.

1972 Recibe el Premio Salvador Toscano de Ciencias y Artes al mérito cinematográfico.

Es nombrado Presidente de la Academia de Ciencias y Artes Cinematográficas de México.

El Banco Cinematográfico inaugura en México la Sala de Arte Gabriel Figueroa.

1973 Presidente del jurado del Segundo Festival Internacional de Cine de Tesalónica, Grecia.

Una delegación de la República Popular China visita México y Figueroa le brinda tres conferencias sobre cinematografía.

1974 Ofrece una conferencia en la Universidad de Tucson, Arizona, sobre el escritor B. Traven, amigo personal de Gabriel Figueroa.

Es invitado por el Fondo de Cultura Económica para acompañar al presidente Luis Echeverría con la delegación mexicana a Buenos Aires, Argentina.

1975 Miembro del jurado del Festival Internacional de Cine de Teherán, Irán, que preside la emperatriz Farah Diva.

1976 Dirige la fotografía del documental *Los aztecas* para las televisiones francesa y mexicana, dirigido por Manuel Boudou y basado en la obra de Jacques Soustelle.

Miembro del jurado del Premio Nacional de Periodismo que otorga la Presidencia de la República.

El Instituto de Estudios Políticos, Económicos y Sociales (IEPES) encarga a un grupo de cineastas un programa para el desarrollo de la industria cinematográfica para presentarlo al presidente José López Portillo. La reunión se realiza en casa de Gabriel Figueroa.

1977 Dirige la fotografía de *Los hijos de Sánchez*, dirigida por Hall Bartlett.

Da conferencia y participa en mesas redondas en el Museo de Arte Moderno y el Museo Universitario del Chopo.

Periodistas Cinematográficos de México (Pecime) le concede la Diosa de Plata por su trayectoria, "que redescubre la belleza de nuestra tierra y de nuestra gente". El trofeo le es entregado por el actor Anthony Quinn.

1978-1979 Viaja por Europa, Estados Unidos y Egipto fotografiando las construcciones más hermosas del mundo para una serie de anuncios televisivos de la firma Domecq.

1980 Dirige la fotografía de *El jugador de ajedrez*, coproducción franco-mexicana.

Inicio del proceso de ordenamiento y clasificación de los materiales de su archivo formado por más de 18 500 filminas.

Es nombrado presidente de la comisión de la Academia de Ciencias y Artes Cinematográficas de México.

1981 Brinda una conferencia en la Universidad Iberoamericana.

Es nombrado miembro del jurado de la Bienal de Fotografía del Instituto Nacional de Bellas Artes.

Participa en el Seminario de Cine Chicano, junto con Jorge Ayala Blanco, Marcela Fernández Violante y Emilio García Riera, organizado por la Universidad de California en Los Ángeles.

Organiza el ciclo de conferencias en homenaje a Serguei M. Eisenstein celebrado en la Universidad Nacional Autónoma de México (UNAM).

1982 La UNAM le concede medalla y diploma como "Universitario sobresaliente" por sus aportaciones al conocimiento y a la cultura.

El Centro de Estudios Mayas de la UNAM lo invita a colaborar en el arreglo de la iluminación de la zona arqueológica de Chichén Itzá.

Da conferencias en el Centro Universitario de Estudios Cinematográficos de la UNAM.

Proyecto para la creación del Instituto Nacional de Cinematografía presentado al presidente Miguel de la Madrid por Alberto Isaac, Sergio Ohlovich, José Estrada, Felipe Cazals, Vicente Silva, Gonzalo Martínez, Emilio García Riera, Alfredo Joskowicz, Jorge Fons, Diana Bracho, Ignacio López Tarso y Gabriel Figueroa.

1983 Ilumina la representación teatral *La señorita de Tacna*, escrita por Vargas Llosa, dirigida por José Luis Ibáñez e interpretada por Silvia Pinal.

Fotografía *Bajo el volcán*, de John Huston, basada en la novela de Malcolm Lowry e interpretada por Albert Finney, Jacqueline Bisset y Anthony Andrews. La dirección artística queda a cargo de su amigo el pintor Gunther Gerzso.

La Secretaría de Educación Pública lo nombra miembro del jurado del Premio Nacional de la Juventud.

Es nombrado miembro del patronato de la Cineteca Nacional.

1984 En representación de la industria cinematografica hace uso de la palabara en la inauguración de la nueva Cineteca Nacional por el presidente de la Madrid.

Viaja a Hollywood para supervisar la copia en color de *Bajo el volcán* en el laboratorio Technicolor.

Recibe el homenaje del San Francisco International Film Festival por su aportación a la industria cinematográfica.

Asiste a la premier de lujo de *Bajo el volcán* en Hollywood. Al día siguiente, junto con John Huston, Alex North, Alberto Isaac y Michael Fitzgerald, responde las preguntas del público sobre la película en un cine de arte.

1985 El International Film Festival de Denver, Colorado, le ofrece un homenaje por su aportación artística al cine mundial. El reverendo Marshal Goruley lo invita a conversar con la comunidad latina sobre el terremoto en México.

The Museum of Photographic Arts de San Diego, California, le ofrece un homenaje por su fotografía artística.

Brinda conferencias en la Universidad Intercontinental de México y la Universidad Autónoma Metropolitana-Azcapotzalco.

En Cuernavaca, Morelos, participa en una mesa redonda sobre el escritor Malcolm Lowry junto con Ricardo Garibay, Fernando Macotela, José Luis Cuevas y Héctor Azar.

John Huston le propone a Figueroa, por intermedio de Paul Kohner, ir a Nueva York para filmar *Prizzi's Honor*. El permiso de trabajo le es negado en Estados Unidos.

1986 The Rivertown International Film Festival de St. Paul, Minnesota, le ofrece un homenaje en el que se proyectan *Macario*, *María Candelaria*, *El ángel exterminador*, *Bajo el volcán*, *The Fugitive* y *Pedro Páramo*.

Tras la renuncia de Alberto Isaac al Instituto Mexicano de Cinematografía, Figueroa es recibido por el presidente de la Madrid, a quien presenta un proyecto, que es aprobado.

The Festival of Festivals Toronto International, en Canadá, le ofrece un homenaje con la proyección de *Macario* y *Pedro Páramo*.

En casa de Gabriel Figueroa se lleva a cabo una plática informal entre el presidente De la Madrid, el licenciado Manuel Bartlett, Jesús Hernández Torres, director de Radio, Televisión y Cinematografía (RTC), y un grupo de gente de cine: Arturo Ripstein, Felipe Cazals, José María Fernández Unsáin, Carlos Monsiváis, Jacobo Feldman y Marcos Salas.

1987 Recibe la Cabeza Olmeca, tributo otorgado en el IV Festival de Cine Mexicano, Villahermosa, Tabasco, "por su extraordinaria labor al engrandecimiento del cine mexicano".

Recibe el Ariel de Oro de la Academia Mexicana de Ciencias y Artes Cinematográficas por su extraordinaria contribución al cine mexicano.

Se inaugura la Sala de Proyección Gabriel Figueroa de la organización televisiva Qualli, donde es acompañado por Sergio Montalvo, director de Qualli, y Jesús Hernández Torres, director de RTC.

1988 RTC y la Cineteca Nacional le ofrecen un homenaje.

La revista *Artes de México* le dedica un número monográfico con textos de Carlos Fuentes, Carlos Monsiváis, José Luis Cuevas, Alberto Ruy Sánchez y Margarita de Orellana, e ilustrado con ampliaciones de sus *light tests* realizadas por su hijo, Gabriel Figueroa Flores.

1991 Recibe el homenaje de la Universidad de California en Los Ángeles.

1997 Fallece en la ciudad de México.

ANEXO 3.
PREMIOS INTERNACIONALES POR LA FOTOGRAFÍA DE GABRIEL FIGUEROA (SE INDICAN LAS OTRAS PELÍCULAS QUE COMPITIERON)

1938 *Allá en el Rancho Grande*. La Mostra, Festival Internacional de Venecia, Italia

1946 *María Candelaria*. Cannes Film Festival, Francia
La bataille du rail / René Clément, Francia
La symphonie pastorale / Jean Delannoy, Francia
Brief Encounter / David Lean, Gran Bretaña
The Lost Weekend / Billy Wilder, Estados Unidos
Roma, città aperta / Roberto Rosselini, Italia
Die letzte Chance / Leopold Lindtberg, Suiza

1947 *Enamorada*. Festival Mundial du Film Palmaris, Bruselas, Bélgica
The Best Years of our Life / William Wyler, Estados Unidos
Le silence est d'or / René Clair, Francia
Odd Man Out / Carol Reed, Gran Bretaña

1947 *María Candelaria*. Festival de Locarno, Suiza

1948 *La perla*. La Mostra, Festival Internacional de Venecia, Italia
The Southerner / Jean Renoir, Francia
Les enfants du paradise / Marcel Carné, Francia

Henry V / Laurence Olivier, Gran Bretaña
Panique / Julian Duvivier, Francia
Nepokoryonnye / Mark Donskoy, URSS
1948 *Río Escondido* / Karlovy-Vary Film Festival, Checoslovaquia
1949 *Salón México*. Festival Mundial du Film Palmaris, Bruselas, Bélgica
Ladri di biciclette / Vittorio de Sica, Italia
The Window / Ted Tetzlaff, Estados Unidos
Molti sogni per le strade / Mario Camerini, Italia
1949 *La perla*. The Golden Globe, Hollywood Foreign Correspondents, Estados Unidos
Hamlet / Laurence Olivier, Gran Bretaña
The Treasure of Sierra Madre / John Huston, Estados Unidos
The Search / Fred Zinnemann, Estados Unidos
The Red Shoes / Michael Powell y Emeric Pressburger, Estados Unidos
1949 *La malquerida*. La Mostra, Festival Internacional de Venecia, Italia
Manon / Henri Georges Clouzot, Francia
The Quiet One / Sidney Meyers, Estados Unidos
The Snake Pit / Anatole Litvak, Estados Unidos
Berliner Ballade / Robert A. Stemmle, Alemania
Portrait of Jennie / William Dieterle, Estados Unidos
1949 *La perla*. Madrid, España.
1949 *Maclovia*. Karlovy-Vary Film Festival, Checoslovaquia
1950 *Pueblerina*. Karlovy-Vary Film Festival, Checoslovaquia
Padeniye Berlina / Mikheil Chiaureli, URSS
Kubanskie kazaki / Ivan Pyryev, URSS
Zhukovsky / Vsevolod Pudovkin, URSS
Zocelení / Martin Fric, Checoslovaquia
1950 *Pueblerina*. Madrid, España

1960 *Macario*. Premio del Jurado, Festival de Cannes, Francia
La dolce vitta / Federico Fellini, Italia
L'aventura / Michelangelo Antonioni, Italia
Kagi / Kon Ichikawa, Japón
Moderato cantabile / Peter Brook, Italia-Francia
Pote tin Kyriaki / Jules Dassin, Grecia
1961 *Macario*. Boston International Film Festival, Estados Unidos
1962 *Ánimas Trujano (Un hombre importante)*. San Francisco Film Festival, Estados Unidos
1964 *Días de otoño*. Festival de Cine de Panamá, Panamá
1965 *The Night of the Iguana*. Nominación para el Oscar, The Academy of Motion Pictures Arts and Sciences, Estados Unidos
My Fair Lady / George Cukor, Estados Unidos
Beckett / Peter Glenville, Gran Bretaña-Estados Unidos
Mary Poppins / Robert Stevenson, Estados Unidos
Zorba The Greek / Michael Cacoyannis, Estados Unidos-Gran Bretaña-Grecia
1968 *El escapulario*. World Hemisfair, Estados Unidos
1978 *Cananea*. Karlovy-Vary Film Festival, Checoslovaquia

PREMIOS NACIONALES

1936 *Allá en el Rancho Grande*. Periodistas Cinematográficos.
1937 *Bajo el cielo de México*. Periodistas Cinematográficos.
1938 *Mientras México duerme*. Periodistas Cinematográficos.
1939 *La noche de los mayas*. Comité Nacional de la Industria Cinematográfica.
1940 *La casa del rencor*. Periodistas Cinematográficos.
1942 *Historia de un gran amor*. Periodistas Cinematográficos.
1943 *Flor silvestre*. Periodistas Cinematográficos.
1944 *María Candelaria*. Periodistas Cinematográficos.
1946 *Enamorada*. Ariel.
1947 *La perla*. Ariel.
1948 *Río Escondido*. Ariel.
1949 *Pueblerina*. Ariel.
1950 *Los olvidados*. Ariel.
1952 *El rebozo de Soledad*. Ariel.
1953 *El niño y la niebla*. Ariel.
1958 *La sonrisa de la Virgen*. Instituto Católico de Cinematografía.
1960 *Macario*. AMPC.
1960 *La cucaracha*. CDI Menorah (Centro Deportivo Israelita).
1961 *Macario*. CDI Menorah (Centro Deportivo Israelita).
1962 *Ánimas Trujano* (*Un hombre importante*). CDI Menorah (Centro Deportivo Israelita).

1962 *Juana Gallo*. CDI Menorah (Centro Deportivo Israelita).
1962 *Ánimas Trujano* (*Un hombre importante*). Pecime, Diosa de Plata.
1963 *El hombre de papel*. Instituto Católico de Cinematografía.
1964 *Días de otoño*. Pecime, Diosa de Plata.
1966 *¡Viva Benito Canales!* Instituto Católico de Cinematografía, Premio Nacional.
1973 *María*. Ariel.
1978 *Divinas Palabras*. Ariel.
1978 *Divinas palabras*. Pecime, Diosa de Plata.

ANEXO 4.
RECONOCIMIENTOS ESPECIALES

1947 Medalla de oro del Ateneo de Ciencias y Artes de México, entregada por su presidente Emilio Portes Gil.
1967 Doctorado *honoris causa* de la Saint Mary's University, San Antonio, Texas, Estados Unidos.
1971 Premio Nacional de Artes, Ciencias y Literatura, entregado por el presidente Luis Echeverría Álvarez.
1972 Premio Salvador Toscano al mérito cinematográfico.
1977 Diosa de Plata Especial por su labor artística en la industria cinematográfica, Pecime. Entregada por el actor Anthony Quinn.
1978 Reconocimiento por su aportación a la cinematografía mundial, otorgado en el festival de Karlovy-Vary por la Unión de Artistas Dramáticos de Checoslovaquia.
1981 Quetzalcóatl. Premio en el cincuentenario del cine mexicano.
1982 Premio en reconocimiento a su condición de "Universitario sobresaliente" por sus aportaciones al conocimiento y a la cultura, Universidad Nacional Autónoma de México.
1983 Premio Dolores del Río, de Pecime, creado por primera vez, es otorgado por su labor artística en el cine mexicano.
1987 Cabeza Olmeca, tributo otorgado en el IV Festival de Cine Mexicano, Villahermosa, Tabasco.

1987 Ariel de oro de la Academia de Ciencias y Artes Cinematográficas de México, otorgado por su extraordinaria labor y contribución al engrandecimiento del cine mexicano, con la presencia del presidente Miguel de la Madrid Hurtado.

1987 Placa de la Asociación de Productores y Distribuidores de Películas Mexicanas. Reconocimiento "por su extraordinaria contribución para el cine mexicano".

1988 La revista *Artes de México* le ofrece un homenaje dedicándole un número completo a su labor cinematográfica con fotografías de sus *light tests*.

1990 Cinemafest 90, San Juan de Puerto Rico. El festival es dedicado al cinefotógrafo mexicano Gabriel Figueroa por su aportación al cine mundial.

1990 Festival Les 3 Continents, Nantes, Francia. Homenaje a Gabriel Figueroa por su trayectoria en la cinematografía mundial. Por considerársele uno de los grandes fotógrafos en blanco y negro se exhibieron 20 películas, todas en blanco y negro.

1991 Tributo que le ofrecen el UCLA Film and Television Archive, el Imcine y Chicanos 90 en el Samuel Goldwyn Theater de la Academy of Motion Pictures Arts and Sciences. El Condado de Los Ángeles le entrega un diploma estableciendo el día 12 de octubre como el "día de Gabriel Figueroa". El diploma dice: "Los Angeles County Board of Supervisors does hereby thank Gabriel Figueroa for his outstanding contributions to the film industry, which have enriched, entertained and educated generations. Adopted order by of the board of supervisors of the county of Los Angeles, State of California. October 10, 1991."

ANEXO 5.
PROPUESTAS IMPORTANTES DE TRABAJO EN EL EXTRANJERO PARA GABRIEL FIGUEROA (ALGUNAS NO LAS PUDO TOMAR POR COMPROMISOS CONTRAÍDOS Y OTRAS POR NO OBTENER EL VISADO DE TRABAJO EN ESTADOS UNIDOS)

1942 Orson Welles, por medio de Mercury Production, desea tener fecha para filmar de Gabriel Figueroa.

1944 David O. Selznick, por medio del productor Paul Kohner, desea contratar a Gabriel Figueroa.

1944 Walt Disney marca fecha de filmación para que Figueroa viaje a La Habana a fotografiar el carnaval.

1947 John Ford, después de concluir *The Fugitive*, firma con Figueroa un contrato por tres años.

1947 Gregory Ratoff, director, y Edward Small, productor, firman con Figueroa para la realización de *Cagliostro*, que protagonizaría Orson Welles.

1947 Abel Gance, director de *Napoleón*, propone a Figueroa filmar en Francia.

1948 Muere Gregg Toland. Por intermedio de Paul Kohner, Sam Goldwyn propone a Figueroa un contrato por cinco años, el mismo que tenía con Toland.

1950 Elia Kazan, por medio del productor Darryl Zanuck de la 20th Century Fox, le ofrece a Gabriel Figueroa un contrato para la filmación de *Viva Zapata!* con Marlon Brando. John Steinbeck y Elia Kazan vienen a México a leer el guión en Cuernavaca.

1951 John Huston le propone a Figueroa ir a Francia a filmar *Moulin Rouge*.

1951 David O. Selznick viene a México de vacaciones y en Acapulco tiene juntas con Figueroa para estudiar un proyecto para Jennifer Jones en *Bridge in the Jungle*, de B. Traven.

1959 Vittorio de Sica le propone a Figueroa realizar *Los hijos de Sánchez* con Sofía Loren como protagonista. La Dirección de Cinematografía negó el permiso de filmación en México.

1961 Otto Preminger, director y productor, viene a México para proponerle a Figueroa filmar *Exodus*, inspirada en la novela de Leon Uris.

1985 John Huston le propone a Figueroa, por intermedio de Paul Kohner, ir a Nueva York para filmar *Prizzi's Honor*; último permiso de trabajo negado en Estados Unidos.

ANEXO 6.
FILMOGRAFÍA

1932 *Revolución*, Miguel Contreras Torres (foto fija).
1933 *Almas encontradas*, Raphael J. Sevilla (foto fija).
La noche del pecado, Miguel Contreras Torres.
Sagrario, Ramón Peón.
La mujer del puerto, Arcady Boytler.
La sangre manda, José Bohr, Raphael J. Sevilla.
Enemigos, *Chano* Urueta (foto fija).
1934 *Chucho el roto*, Gabriel Soria.
El escándalo, *Chano* Urueta (con Víctor Herrera).
Tribu, Miguel Contreras Torres.
El primo Basilio, Carlos de Nájera (con Alvin Wyckof).
Corazón Bandolero, México Films, Manuel Escobar, Raphael J. Sevilla y Leonardo Weftphal
1935 *Vámonos con Pancho Villa*, Fernando de Fuentes (con Jack Draper).
María Elena, Raphael J. Sevilla (con Alvin Wyckof, Jack Draper y William C. Clothier).
1936 *Las mujeres mandan*, Fernando de Fuentes (con Jack Draper).
Cielito lindo, Roberto O'Quigley (con Alex Philips).
Allá en el Rancho Grande, Fernando de Fuentes.

1937 *Bajo el cielo de México*, Fernando de Fuentes.
Jalisco nunca pierde, *Chano* Urueta.
Canción del alma, *Chano* Urueta.
La Adelita, Guillermo Hernández Gómez.
Mi candidato, *Chano* Urueta.
1938 *Refugiados en Madrid*, Alejandro Galindo.
Padre de más de cuatro, Roberto O'Quigley.
La casa del ogro, Fernando de Fuentes.
Los millones del chaflán, Roberto Aguilar.
Mientras México duerme, Alejandro Galindo.
La bestia negra, Gabriel Soria.
1939 *La noche de los mayas*, *Chano* Urueta.
Papacito lindo, Fernando de Fuentes.
Los de abajo, *Chano* Urueta.
La canción del milagro, Rolando Aguilar.
¡Que viene mi marido!, *Chano* Urueta.
1940 *Allá en el trópico*, Fernando de Fuentes.
El jefe máximo, Fernando de Fuentes.
Con su amable permiso, Fernando Soler.
El monje loco, Alejandro Galindo.
Creo en Dios, Fernando de Fuentes.
1941 *Ni sangre ni arena*, Alejandro Galindo.
El rápido de las 9:15, Alejandro Galindo.
¡Ay, qué tiempos, Señor don Simón!, Julio Bracho.
La casa del rencor, Gilberto Martínez Solares.
El gendarme desconocido, Miguel M. Delgado.
La gallina clueca, Fernando de Fuentes.
Virgen de media noche, Alejandro Galindo.
Mi viuda alegre, Miguel M. Delgado.
1942 *Cuando viajen las estrellas*, Alberto Gout.
Historia de un gran amor, Julio Bracho.
Los tres mosqueteros, Miguel M. Delgado.

El verdugo de Sevilla, Fernando Soler.
La Virgen que forjó una patria, Julio Bracho.
El circo, Miguel M. Delgado.
1943 *Flor silvestre*, Emilio Fernández.
El espectro de la novia, René Cardona.
El as negro, René Cardona.
La mujer sin cabeza, René Cardona.
Distinto amanecer, Julio Bracho.
María Candelaria, Emilio Fernández.
La fuga, Norman Foster.
1944 *El corsario negro*, *Chano* Urueta.
El intruso, Mauricio Magdaleno.
Adiós Mariquita linda, Alfonso Patiño Gómez (con Víctor Herrera).
Las abandonadas, Emilio Fernández.
Más allá del amor, Adolfo Fernández Bustamante.
Bugambilia, Emilio Fernández.
1945 *Un día con el diablo*, Miguel M. Delgado.
Cantaclaro, Julio Bracho.
La perla, Emilio Fernández.
1946 *Su última aventura*, Gilberto Martínez Solares.
Enamorada, Emilio Fernández.
1947 *El fugitivo* (*The Fugitive*), John Ford.
La casa colorada, Miguel Morayta.
Río Escondido, Emilio Fernández.
María la O, Adolfo Fernández Bustamante.
Tarzán y las sirenas (*Tarzan and the Mermaids*), Robert Florey (con Jack Draper y Raúl Martínez Solares).
1948 *Maclovia*, Emilio Fernández.
Dueña y señora, Tito Davison.
Medianoche, Tito Davison.
Salón México, Emilio Fernández.

Pueblerina, Emilio Fernández.
Prisión de sueños, Víctor Urruchúa.
1949 *El embajador*, Tito Davison.
Opio, Ramón Peón.
La malquerida, Emilio Fernández.
Un cuerpo de mujer, Tito Davison.
Duelo en las montañas, Emilio Fernández.
Del odio nació el amor, Emilio Fernández.
Nuestras vidas, Ramón Peón.
1950 *Un día de vida*, Emilio Fernández.
Los olvidados, Luis Buñuel.
Víctimas del pecado, Emilio Fernández.
Pecado, Luis César Amadori.
Islas Marías, Emilio Fernández.
El gavilán pollero, Rogelio A. González.
El bombero atómico, Miguel M. Delgado.
Siempre tuya, Emilio Fernández.
1951 *Los pobres van al cielo*, Jaime Salvador.
Un gallo en corral ajeno, Julián Soler.
La bienamada, Emilio Fernández.
Hay un niño en su futuro, Fernando Cortés.
El mar y tú, Emilio Fernández.
Ahí viene Martín Corona, Miguel Zacarías.
El enamorado, Miguel Zacarías.
1952 *El rebozo de Soledad*, Roberto Gavaldón
Ni pobres ni ricos, Fernando Cortés.
Cuando levanta la niebla, Emilio Fernández.
El señor fotógrafo, Miguel M. Delgado.
Dos tipos de cuidado, Ismael Rodríguez.
Ansiedad, Miguel Zacarías.
Él, Luis Buñuel.
1953 *Camelia*, Roberto Gavaldón.

Llévame en tus brazos, Julio Bracho.
El niño y la niebla, Roberto Gavaldón.
La rosa blanca, Emilio Fernández.
1954 *La rebelión de los colgados*, Emilio Fernández y Alfredo B. Crevenna.
La mujer X, Julián Soler.
Pueblo, canto y esperanza, episodio de Rogelio A. González.
Estafa de amor, Miguel M. Delgado.
El monstruo en la sombra, Zacarías Gómez Urquiza.
1955 *La doncella de piedra*, Miguel M. Delgado.
Historia de un amor, Roberto Gavaldón.
La escondida, Roberto Gavaldón.
Canasta de cuentos mexicanos, Julio Bracho.
La Tierra del Fuego se apaga, Emilio Fernández
1956 *Una cita de amor*, Emilio Fernández.
Sueños de oro, Miguel Zacarías.
El bolero de Raquel, Miguel M. Delgado.
Mujer en condominio, Rogelio A. González.
1957 *Aquí está Heraclio Bernal*, Roberto Gavaldón.
La venganza de Heraclio Bernal, Roberto Gavaldón.
La rebelión de la sierra, Roberto Gavaldón.
Flor de mayo, Roberto Gavaldón.
Una golfa, Tulio Demicheli.
La sonrisa de la Virgen, Roberto Rodríguez.
1958 *Carabina 30-30*, Miguel M. Delgado.
Impaciencia del corazón, Tito Davison.
Café Colón, Benito Alazraky.
Isla para dos, Tito Davison.
Nazarín, Luis Buñuel.
La estrella vacía, Emilio Gómez Muriel.
La Cucaracha, Ismael Rodríguez.
1959 *Sonatas*, Juan Antonio Bardem (con Cecilio Paniagua).

Los ambiciosos, Luis Buñuel.
Macario, Roberto Gavaldón.
1960 *La joven* (*The Young One*), Luis Buñuel.
Juana Gallo, Miguel Zacarías.
1961 *La rosa blanca*, Roberto Gavaldón.
El tejedor de milagros, Francisco del Villar.
1962 *Ánimas Trujano* (*Un hombre importante*), Ismael Rodríguez.
El ángel exterminador, Luis Buñuel.
Días de otoño, Roberto Gavaldón.
1963 *El hombre de papel*, Ismael Rodríguez.
Entrega inmediata, Miguel M. Delgado.
En la mitad del mundo, Ramón Pereda.
La noche de la iguana (*The Night of the Iguana*), John Huston.
1964 *Escuela para solteras*, Miguel Zacarías.
El gallo de oro, Roberto Gavaldón.
Los tres calaveras, Fernando Cortés.
Los cuatro Juanes, Miguel Zacarías.
Simón del desierto, Luis Buñuel.
1965 *Un alma pura*, Juan Ibáñez.
Las dos Elenas, José Luis Ibáñez.
Lola de mi vida, Miguel Barbachano Ponce.
Cargamento prohibido, Miguel M. Delgado.
¡Viva Benito Canales!, Miguel M. Delgado.
1966 *Pedro Páramo*, Carlos Velo.
El asesino se embarca, Miguel M. Delgado.
El escapulario, Servando González.
Domingo salvaje, Francisco del Villar.
El cuarto chino (*The Chinese Room*), Alberto Zugsmith.
Su excelencia, Miguel M. Delgado.
Los ángeles de Puebla, Francisco del Villar.

1967 *El jinete fantasma*, Alberto Zugsmith.
Mariana, Juan Guerrero
Corazón salvaje, Tito Davison.
¿La paz?, Santiago Genovés.
1968 *El terrón de azúcar* (*The Big Cube*), Tito Davison.
Narda o el verano, Juan Guerrero.
1969 *Dos mulas para la hermana Sara* (*Two Mules for Sister Sara*), Don Siegel.
El botín de los valientes (*Kelly's Heroes*), Brian C. Hutton.
1970 *La generala*, Juan Ibáñez.
El cielo y tú, Gilberto Gazcón.
El profe, Miguel M. Delgado.
1971 *Los hijos de Satanás*, Rafael Baledón.
María, Tito Davison.
Hijazo de mi vidaza, Rafael Baledón.
1972 *El monasterio de los buitres*, Francisco del Villar.
El señor de Osanto, Jaime Humberto Hermosillo.
Érase una vez en pillo (*Once a Scounderel*), George Shaefer.
Intervalo, Daniel Mann.
1973 *El amor tiene cara de mujer*, Tito Davison.
Los perros de Dios, Francisco del Villar.
1974 *El llanto de la tortuga*, Francisco del Villar.
Presagio, Sergio Olhovich.
1975 *Coronación*, Juan Manuel Torres.
La vida cambia, José Estrada.
Maten al león, Benito Alazaraki.
1976 *Balún Canán*, Benito Alazaraki.
Cananea, Marcela Fernández V.
Los aztecas, Marcel Boudou (TV).
1977 *Divinas palabras*, Juan Ibáñez.
La casa del pelícano, Sergio Véjar.
Los hijos de Sánchez, Hal Bartlet.

1978 *A paso de cojo*, Luis Alcoriza.

D. F, Tito Davison.

Te quiero, Tito Davison.

1980 *El jugador de ajedrez*, Juan Luis Buñuel (TV).

México mágico, Alejandro Tavera y Raúl Zermeño.

1981 *México 2000*, Rogelio González.

El héroe desconocido, Julián Pastor.

1983 *El corazón de la noche*, Jaime Humberto Hermosillo.

Bajo el volcán (*Under the Volcano*), John Huston.

ÍNDICE DE NOMBRES

MEMORIAS DE
GABRIEL FIGUEROA

SEGUNDO VOLUMEN DE LA COLECCIÓN PÉRTIGA, SE TERMINÓ DE IMPRIMIR EN NOVIEMBRE DE 2005 EN LOS TALLERES DE GRÁFICA, CREATIVIDAD Y DISEÑO, EN LA CIUDAD DE MÉXICO. PARA SU COMPOSICIÓN DE USARON LOS TIPOS DE LA FAMILIA DIDOT. EL TIRAJE ES DE 2000 EJEMPLARES.